CÓMO CUIDAR LAS PLANTAS DE INTERIOR

Iñigo Segurola

Edición: Bainet editorial S.A.
Textos: Iñigo Segurola y Juan Iriarte
Fotografías: Laura 10m.
Cubierta: Burman Comunicación.
Interior: Suministros de Imagen
Fotomecánica: GRAFO S.A.

© De esta edición, Bainet editorial S.A.
  Uribitarte, 18 – 48001 Bilbao

I.S.B.N.: 978-84-96177-75-8
Depósito Legal: BI-641-2013
Impreso y encuadernado en GRAFO, S.A.
Impreso en España *(Printed in Spain)*

Las plantas de interior además de alegrar con su follaje y floración el ambiente de nuestras casas ayudan a purificar el aire del hogar. Muchas plantas poseen la cualidad de absorber los gases nocivos que tienden a acumularse en nuestros hogares, y también gracias a la evapotranspiración del agua a través de las hojas contribuyen a sanear el aire del hogar.

Una planta de interior es un ser vivo que para su supervivencia requiere de nuestra colaboración. Teniendo claro esto, el cuidado de las plantas resulta gratificante porque según vayamos aprendiendo el lenguaje de las plantas, mejor las entenderemos y, por tanto, mejor satisfaremos los requisitos que nos demandan. Las veremos crecer y nos ofrecerán sus flores como agradecimiento a los cuidados aportados.

En este libro, hemos querido reflejar todo el conocimiento necesario para poder llegar a descifrar el lenguaje de las plantas: a las plantas no les tenemos que hablar sino que tenemos que aprender a descifrar los mensajes que nos lanzan, es decir, las tenemos que escuchar. Para descifrar los mensajes que nos lanzan las plantas necesitamos un conocimiento general del cuidado y necesidades de cada planta descrito en las fichas individuales que presentamos. Es fundamental aprender a observar las plantas, con paciencia y humildad, y os aseguro que si les prestáis el tiempo y dedicación necesaria os lo recompensarán con creces.

Seleccionad acorde al espacio, luz y efecto buscado la planta que mejor encaje en la decoración de vuestras casas, y acudid a comprarlas a centros especializados como floristerías y centros de jardinería que nos garanticen la adquisición de plantas sanas y de calidad. Mimadlas y seguro que ellas también os mimarán dentro de sus posibilidades.

plantas de hoja grande

¡Cómo me gustan las plantas de hoja grande!

En este capítulo he seleccionado las plantas de interior de hoja grande más habituales. Yo, personalmente, estoy enamorado de estas plantas, ya que tienen la capacidad de crear inmensas hojas con poco volumen de tierra. Sin embargo, a la hora de adquirir una de estas lustrosas y exuberantes plantas de hoja grande que presentamos, el principal requisito a considerar es el espacio que requieren. Los pisos donde vivimos normalmente son pequeños y muchas de estas plantas requieren hasta un metro cuadrado para ellas solas. Además, para que luzcan todo su potencial no tendremos que agruparlas con otras plantas u objetos. Es mejor dejarlas solas para que puedan extenderse a gusto.

Tendremos que tener en cuenta que estas plantas transpiran gran cantidad de agua por sus hojas, lo cual es muy bueno para sanear y limpiar el aire de nuestros hogares. Sin embargo, toda el agua que transpiran la sacan de la tierra, por lo que enseguida agotan el agua disponible. Tendremos que estar atentos a la demanda de agua y pulverizar las hojas con cierta frecuencia para incrementar la humedad ambiental.

En general, todas ellas necesitan bastante luz y en ausencia de luz el crecimiento de las hojas es demasiado largo y fino, lo que provoca el desmoronamiento de las hojas.

Si os gustan como a mí estos pedazos de hojas y queréis que cada vez sean de mayor tamaño, el consejo es abonarlas con regularidad. Un abono para plantas de hoja potenciará su crecimiento, manteniendo o incluso superando el tamaño de hoja inicial. Si no las abonáis cada 15 días cuando están creciendo, veréis cómo las nuevas hojas no llegan a alcanzar el tamaño original, tendiendo a raquitizarse. Y por último, cada 1 o 2 años hay que trasplantarlas a un tiesto algo mayor.

Alocasia amazónica

ALOCASIA AMAZONICA

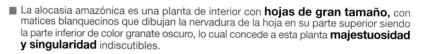

■ La alocasia amazónica es una planta de interior con **hojas de gran tamaño,** con matices blanquecinos que dibujan la nervadura de la hoja en su parte superior siendo la parte inferior de color granate oscuro, lo cual concede a esta planta **majestuosidad y singularidad** indiscutibles.

■ Se trata de una planta que tiende a abrirse arqueando los tallos ligeramente, por lo que requiere un **lugar amplio** con fondo neutro para enfatizar su interés ornamental.

cuidados

■ La alocasia amazónica requiere exposiciones muy luminosas **evitando el sol indirecto,** que de incidir sobre la planta a través del cristal provocará quemaduras en las hojas restándole valor ornamental.

■ Al igual que la mayoría de las plantas de hoja grande, la alocasia amazónica requiere **riegos abundantes.** Es aconsejable mantener la tierra continuamente húmeda ya que en su hábitat de origen viven en zonas pantanosas. Sus hojas también agradecen ser rociadas con agua.

■ No tolera los fríos, siendo aconsejable mantenerla a una **temperatura constante** de entre 18-25 °C.

consejos

■ Según vayan marchitándose las hojas de la alocasia, perdiendo su brillo e intensidad y empezando a amarillear, **es aconsejable cortarlas limpiamente desde la base.** De esta forma estaremos incidiendo en la aparición de nuevas hojas.

■ Para lograr que sus nuevas hojas alcancen el tamaño deseado, además de mantener siempre la tierra húmeda, añadiremos al agua de riego una vez a la semana la **dosis adecuada de abono líquido.** Gracias al abono, el tamaño y brillo de las alocasias será el deseado.

si la abonamos con
regularidad sus hojas serán
de gran tamaño

requiere gran espacio para lucir
toda su envergadura

el sustrato siempre
ha de estar húmedo

Origen: Sudamérica, selvas
tropicales lluviosas

Luz: muy luminoso, nunca sol
directo

Temperatura ideal: 20-25 °C

Temperatura mínima: 0-6 °C

Riego: abundante, evitar
encharcamiento

Fertilización: pc. cada 3
semanas; pd. cada 2 meses

Alocasia
amazónica

Anturio gigante

ANTHURIUM ELLIPTICUM "JUNGLE KING"

■ El anturio gigante **posee unas hojas descomunales** que parten de una roseta central y llegan a alcanzar el metro de longitud y el medio metro de anchura. Se trata de una de las plantas de interior con mayores hojas, siendo éstas de color verde brillante y bastante gruesas. Una planta de anturio gigante ocupa prácticamente un metro cuadrado de espacio.

■ **La flor del anturio gigante es insignificante.** Al contrario que los anturios de interior, que poseen flores con espatas de colores llamativos, principalmente rojos, el anturio gigante crea una flor granate que pasa totalmente desapercibida.

cuidados

■ Como todos los anturios, es bastante exigente en cuanto a la luz, sobre todo si se quiere mantener y potenciar el tamaño y turgencia de sus hojas. La luz de sol directa dañará las hojas, por lo que agradece una **luz tamizada por una cortina.**

■ **Los riegos se realizarán cuando observemos que la tierra empieza a secarse,** lo cual ocurre con rapidez, ya que las grandes hojas demandan mucha agua. Un exceso de humedad en el sustrato provocará que las típicas gruesas raíces del anturio se pudran.

■ La **humedad ambiental tiene que ser alta,** por lo que la tendremos que pulverizar regularmente para mantener al anturio gigante contento.

consejos

■ Si tienes una casa pequeña y con ambiente seco desiste de cultivar un anturio gigante. Pero si has optado por adquirir esta planta de interior con hojas descomunales asegúrate de que **no le falte la luz tamizada y humedad ambiental,** y para lograr que las nuevas hojas sean de gran tamaño tendrás que abonarla con abono de plantas de hoja durante la época de crecimiento.

sus grandes hojas ocupan mucho espacio y transpiran mucha agua

pulveriza con regularidad para aumentar la humedad ambiental

riega con regularidad sin encharcar la tierra

Origen: Centroamérica, selvas tropicales lluviosas
Luz: de luminoso a muy luminoso
Temperatura ideal: 21-25 °C
Temperatura mínima: 10 °C
Riego: pc. húmedo; pd. dejar secar capa superficial entre riegos
Fertilización: pc. cada 3 semanas; pd. cada 2 meses

Anturio gigante

Helecho nido de ave

ASPLENIUM NIDUS

■ El helecho nido de ave es originario de las selvas lluviosas tropicales del norte de Australia y posee unas grandes hojas que lo convierten en una **planta protagonista** allí donde se la coloca por su elegancia y exuberancia.

■ **Sus grandes hojas en forma de lanza pueden alcanzar hasta 120 cm de largo,** pero lo normal es que se queden en 45 cm. El color verde manzana de sus frondes aporta frescura.

■ Este helecho **robusto y vigoroso** es fácil de cultivar, en comparación con otros helechos más delicados, siempre y cuando lo ubiquemos en un lugar adecuado y le prestemos un mínimo de atención.

cuidados

■ Este helecho es **bastante robusto** dentro del mundo de los helechos y conseguirá sobrevivir allí donde otros han perecido, pero si queremos que se desarrolle en su plenitud debemos situarlo en un lugar adecuado.

■ Este lugar ha de ser muy luminoso, aunque también aguanta cierto grado de penumbra, pero **nunca lo expondremos al sol directo,** pues sus grandes hojas se quemarían irremediablemente, desluciendo su porte.

■ **Los riegos han de ser regulares,** evitando tanto tierras empapadas como que se seque el cepellón entre riegos. En invierno reduciremos el riego y dejaremos que se seque la parte superficial del sustrato. El agua que queda en el platillo nunca la mantendremos más de 15 minutos, a no ser que disponga de una capa de gravilla en el platillo que evite el contacto directo de las raíces con el agua. Rociar las hojas con frecuencia, sobre todo los frondes jóvenes, que son más tiernos y delicados.

■ **Fertilizar una vez al mes,** aplicando la mitad de la dosis recomendada, y nunca hacerlo sobre un sustrato seco, pues las raíces de los helechos suelen ser tan delicadas que fácilmente se queman con las sales del fertilizante.

consejos

■ A todos los helechos **les encanta pasar el verano en el exterior,** en condiciones adecuadas de luz, calor y humedad, evitando el sol directo, pero especialmente a este helecho nido de ave, que tras el periodo estival nos recompensará con unas exuberantes hojas, vigorosas y elegantes.

para asegurar hojas grandes
y sanas pulverízalas con
regularidad

el sustrato hay que
mantenerlo húmedo

gira la maceta para
asegurar un crecimiento
homogéneo

Origen: Australia, selvas
tropicales lluviosas
Luz: luminoso, nunca sol directo
Temperatura ideal: 18-25 °C
Temperatura mínima: 3-6 °C
Riego: abundante, evitar
encharcamientos
Fertilización: pc. cada mes;
pd. cada 3 meses

Helecho nido
de ave

11

Cariota

CARYOTA MITIS

■ La cariota es una palmera originaria de la India, Malasia y Filipinas, donde cada individuo está formado por varios troncos que pueden llegar a alcanzar hasta 12 metros de altura. Sus **hojas son de gran envergadura** y están compuestas por foliolos caprichosamente cortados con forma de abanico y **con aspecto de cola de pescado.** De hecho, en muchos lugares recibe el nombre común de palmera cola de pescado.

■ **Se puede cultivar en exteriores sólo en zonas templadas,** pero ha demostrado una buena adaptación al crecimiento en interiores, donde puede llegar a alcanzar 2 o 3 metros de altura con facilidad. Su gran envergadura hace que sea necesario un espacio amplio para que la cariota luzca su porte y elegancia característicos.

cuidados

■ **Requiere mucha luz y una temperatura ambiental cálida** que no baje de los 18 °C durante la noche. Hay que tener cuidado con los riegos, ya que el exceso es perjudicial. Riégala cuando observes que la parte superior del sustrato ha comenzado a secarse.

■ Para mantener las hojas sanas sin bordes marrones necesita cierta humedad ambiental, sobre todo durante los días secos de verano. **Rocíala con agua tibia regularmente.**

consejos

■ La cariota es una palmera singular que **necesita mucho espacio.** Cuando observemos que del centro de la mata empieza a salir una nueva hoja, empezaremos a añadir quincenalmente abono líquido al agua de riego. Este suplemento de nutrientes ayudará a que esta nueva hoja tenga un gran tamaño, lo que sin duda aumentará el interés estético de esta curiosa palmera.

exige temperaturas cálidas

abónala cada 15 días
durante el crecimiento

riégala cuando la tierra
empiece a secarse

Origen: zona tropical del Pacífico
Luz: muy luminoso, nunca sol
directo
Temperatura ideal: 20-29 ºC
Temperatura mínima: 10-15 ºC
Riego: pc. moderado; pd. dejar
secar capa superficial entre riegos
Fertilización: pc. cada 3
semanas; pd. cada 2 meses

Cariota

Areca

CHRYSALIDOCARPUS LUTESCENS

- A la areca también se la conoce con el nombre de **palmera amarilla,** ya que los pecíolos de sus hojas poseen una característica coloración en tonos verde amarillentos.

- De la misma mata salen varios tallos tipo cañas, coronados por hojas de gran tamaño finamente divididas en múltiples foliolos también de una coloración verde amarillento muy atractiva.

- Es **originaria de Madagascar,** donde alcanza gran tamaño, pero ha demostrado una magnífica adaptación al crecimiento en interiores.

- Es habitual que las puntas de las hojas adquieran tonos marrones, pero esto no implica un decaimiento de la areca, simplemente es señal de que no tiene la suficiente humedad ambiental.

cuidados

- **Requiere exposiciones luminosas sin sol directo.** De no poseer suficiente luz, la planta tiende a debilitarse.

- Una planta de 2 metros de altura transpirará por sus hojas durante 24 horas una media de 1 litro de agua, por lo que podemos deducir que es exigente en cuanto a agua de riego. Siempre ha de mantenerse el cepellón con la suficiente humedad. Este alto índice de transpiración, unido a la capacidad de eliminar las toxinas tóxicas del aire, hace que **sea considerada una de las mejores plantas de interior.**

consejos

- Para mantener la areca con la suficiente humedad en tierra **es recomendable cultivarla en una hidrojardinera.** Estas jardineras poseen un depósito de agua que mantendremos siempre lleno, de forma que la areca pueda disponer de toda el agua necesaria para llevar a cabo su elevada transpiración y así eliminar las toxinas químicas del aire, acciones éstas propias y saludables de la areca. Además de elegante, la areca nos ayuda a mantener sano el aire de nuestros hogares.

para evitar puntas marrones
hay que pulverizar con
regularidad

mantén el cepellón
húmedo pero sin excesos

mucha luz pero sin sol
directo

Origen: Madagascar
Luz: de muy luminoso a luminoso
Temperatura ideal: 18-25 ºC
Temperatura mínima: 7-11 ºC
Riego: pc. moderado; pd. dejar
secar capa superficial entre riegos
Fertilización: pc. cada 3
semanas; pd. cada 2 meses

Areca

Dieffenbachia

DIEFFENBACHIA

- Las *dieffenbachias* **son plantas de interior con grandes hojas coloreadas o matizadas** de diferentes dibujos en tonos verdes, blancos, cremas y amarillentos. Existen muchas variedades distintas dependiendo de su porte, y sobre todo de los diferentes dibujos o matices de sus hojas.

- A pesar de su atractivo **es una planta venenosa** cuya savia contiene oxalato de calcio. Si se muerde cualquier parte de la planta, la garganta se inflama y se pierde la voz durante unos cuantos días.

- Según va creciendo, la *dieffenbachia* tiende a perder las hojas inferiores y el tallo va quedándose desnudo, y por tanto poco decorativo. Cuando ocurre esto es aconsejable cortar el tallo y crear nuevos esquejes multiplicando la planta.

cuidados

- **Requiere exposiciones de luz intermedia** ya que el exceso de sol directo contribuye a que se pierdan los dibujos de las hojas.

- El mayor enemigo de esta planta es el exceso de agua. Si se mantiene la tierra con humedad constante, los tallos y hojas se pudren, por tanto hay que dejar secar la tierra entre riego y riego. En tiempos calurosos la planta agradece ser pulverizada con agua tibia.

consejos

- La *dieffenbachia* **es una planta muy impactante,** con sus grandes hojas que como un penacho salen de su tronco, pero con el tiempo tienden a desgarbarse perdiendo la elegancia de su porte, por lo que lo mejor es esquejarla: la cortaremos en lonchas de 4 o 5 nudos, que introduciremos semienterrados en tierra. En poco tiempo tendremos nuevas *dieffenbachias*, hasta que vuelvan a desgarbarse.

DIEFFENBACHIA SEGUINE "TROPIC"
De todas las *dieffenbachias*, ésta es la más vigorosa y la que mayor altura alcanza.

DIEFFENBACHIA "COMPACTA"
Esta variedad se caracteriza por no alcanzar mucha altura y por poseer un porte compacto ideal para espacios reducidos.

DIEFFENBACHIA "CAMILA"
La variedad "Camila" se caracteriza por poseer hojas donde el blanco es el color predominante, relegándose los matices de verdor a la periferia de las hojas.

DIEFFENBACHIA "STAR WHITE"
La variedad "Star White" posee hojas alargadas con dibujos estriados en tonos blancos y verdes.

DIEFFENBACHIA "EXCELLENCE"
La característica más llamativa y singular de esta *dieffenbachia* es el color verde amarillento de sus hojas. Este color poco habitual aporta luminosidad y elegancia a esta variedad de *dieffenbachia*.

nunca sol directo, cuanta más luz mejor se definen los dibujos

gira la planta con frecuencia para que no se vicie en una sola dirección

deja que la tierra se seque entre riegos

pulveriza las hojas con agua tibia

Origen: Sudamérica, selvas tropicales lluviosas

Luz: de luminoso a muy luminoso, nunca sol directo

Temperatura ideal: 18-25 ºC
Temperatura mínima: 8-12 ºC

Riego: pc. húmedo; pd. dejar secar capa superficial entre riegos

Fertilización: pc. cada 3 semanas; pd. cada 2 meses

Dieffenbachia

Ficus elástica

FICUS ELASTICA

■ El *Ficus elastica* es un árbol que en zonas de clima tropical o mediterráneo, sin heladas invernales, alcanza una envergadura impresionante. Es al mismo tiempo **una planta de interior agradecida y resistente,** poco ramificada y con presencia de hojas de gran tamaño, duras y brillantes.

■ Los *Ficus elastica* **no ramifican mucho,** por lo que tienden a crear ramas largas cubiertas por sus características hojas brillantes, que a menudo requieren un tutor o guía para mantenerse erguidas.

cuidados

■ Requiere un **entorno luminoso y amplio** para poder crecer con comodidad. Tolera los entornos y ambientes secos y no requiere pulverizar sus hojas para aumentarle la humedad ambiental.

■ En cuanto a **riegos,** éstos han de ser **moderados,** regando la tierra una vez que ésta se haya secado completamente.

■ Si no está en un lugar muy luminoso es aconsejable girar el tiesto una vez al mes para que toda la planta reciba la misma cantidad de luz.

consejos

■ Si el *Ficus elastica* está creciendo sin ramificar, **podemos inducir la aparición de mayor ramificación** realizando podas o pinzamientos. A partir del punto de corte se activarán las 2 o 3 yemas cercanas, provocando la aparición de nuevos brotes que densifiquen la planta.

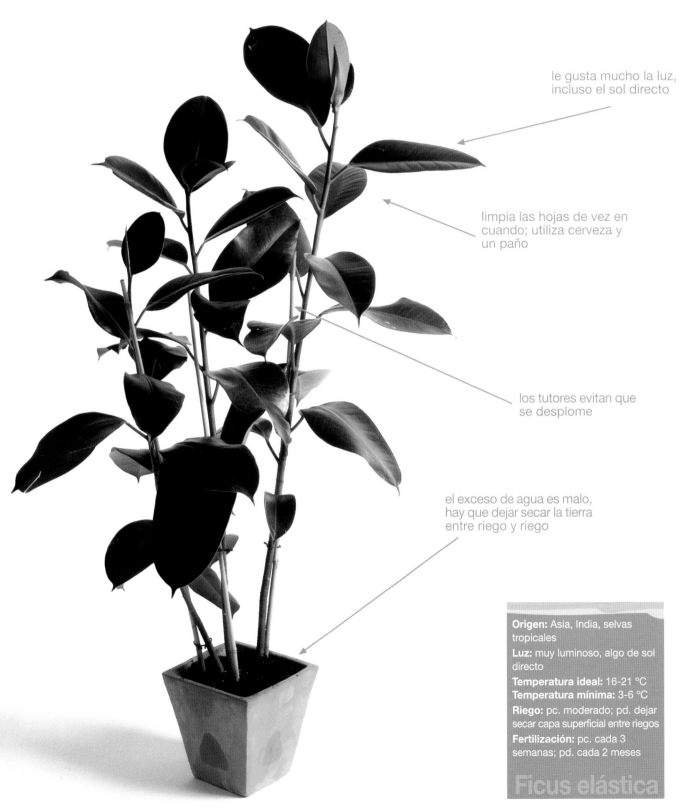

le gusta mucho la luz,
incluso el sol directo

limpia las hojas de vez en
cuando; utiliza cerveza y
un paño

los tutores evitan que
se desplome

el exceso de agua es malo,
hay que dejar secar la tierra
entre riego y riego

Origen: Asia, India, selvas tropicales

Luz: muy luminoso, algo de sol directo

Temperatura ideal: 16-21 °C

Temperatura mínima: 3-6 °C

Riego: pc. moderado; pd. dejar secar capa superficial entre riegos

Fertilización: pc. cada 3 semanas; pd. cada 2 meses

Ficus elástica

Kentia

HOWEA FORSTERIANA

■ La kentia es una de las palmáceas más típicas y populares utilizadas como plantas de interior. Es de **crecimiento lento,** de larga vida y presenta una gran tolerancia al crecimiento en el interior de nuestros hogares.

■ Al principio **las hojas** son bastante verticales, pero **con el paso del tiempo tienden a arquearse y a aumentar de tamaño,** por lo que demandan bastante espacio. Las puntas de las hojas se suelen poner marrones incluso en las plantas sanas, lo cual se debe a que no tiene toda la humedad ambiental deseada.

■ **Tienden a acumular polvo** en las hojas, lo que desluce el verdor propio de esta palmácea. Para quitarle el polvo, introdúcela en la ducha o sácala al balcón un día de lluvia. Luego se pasa un paño impregnado en cerveza por las hojas, lo que activará el brillo de las mismas.

cuidados

■ La kentia **no es exigente en cuanto a luz,** por lo que le destinaremos un lugar dentro de la casa espacioso y con luz difusa. Tolera rincones poco iluminados, pero en estas condiciones se desarrollará lentísimamente. Durante la primavera hay que mantener la tierra más o menos húmeda y en invierno reduciremos los riegos, dejando que la tierra se seque entre riego y riego.

■ Es exigente en cuanto a humedad ambiental, por lo que **ha de ser pulverizada con agua regularmente.**

consejos

■ La kentia prácticamente no desarrolla raíces y su cepellón tiende a desmoronarse con facilidad. Un consejo es **no trasplantar la kentia hasta pasados unos 3 años,** hasta que el cepellón haya creado la suficiente consistencia.

■ Otra práctica aconsejable es introducirla en el recipiente que hayamos elegido pero sin sacarla de su tiesto original, pues su sistema radicular es tan frágil que le molesta mucho ser alterado. De esta forma no dañaremos el cepellón de raíces y las nuevas raíces irán saliendo poco a poco por los agujeros de drenaje del recipiente original. **La práctica de trasplantar una planta con tiesto incluido sólo nos sirve para las kentias.**

exige mucho espacio

los puntos marrones significan
que el ambiente es seco,
pulverízala con regularidad

es mejor no trasplantarla
para mantener el cepellón
compacto

Origen: isla Lord Howe, sur del Pacífico

Luz: de luminoso a poco luminoso

Temperatura ideal: 16-21 °C

Temperatura mínima: 3-6 °C

Riego: pc. húmedo; pd. dejar secar capa superficial entre riegos

Fertilización: pc. cada 3 semanas; pd. cada 2 meses

Kentia

21

Costilla de Adán

MONSTERA DELICIOSA

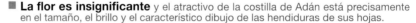

■ La costilla de Adán es una planta de interior muy común que se caracteriza por poseer unas **grandes hojas verdes partidas como si de costillas se tratase,** de donde recibe su nombre común. Crea tallos flexibles ya que en realidad es una planta trepadora que requiere soportes para mantenerse erguida. Para poder sujetarse a los soportes crea unas gruesas raíces aéreas que se introducen en las grietas de paredes, entre las cortezas de árboles o en el tutor que le pongamos nosotros.

■ **La flor es insignificante** y el atractivo de la costilla de Adán está precisamente en el tamaño, el brillo y el característico dibujo de las hendiduras de sus hojas.

cuidados

■ **Es una planta muy fácil de cuidar.** Tolera rincones poco luminosos, aunque para obtener un buen tamaño de hojas con todas las hendiduras marcadas es recomendable destinarle un rincón lo suficientemente luminoso. Soporta temperaturas bajas puntuales, pero nunca por debajo de los 0 ºC, ya que se quemaría toda la parte aérea.

■ **No es una planta exigente en cuanto a riegos.** Dejaremos secar la tierra entre riego y riego, y en primavera la abonaremos una vez al mes. A pesar del tamaño de sus hojas no demanda ser pulverizada, ya que tolera los ambientes secos.

consejos

■ Si la costilla de Adán está creciendo contenta, con el tiempo la parte baja de la mata tiende a despoblarse de hojas. Para reactivar la aparición de nuevos brotes cortaremos uno de los brotes de la punta, raíz incluida, y lo plantaremos en la base del tiesto.

■ Si ves que las hojas están llenas de polvo, sácala al balcón un día de lluvia o métela en la ducha y mójala bien para quitarle el polvo y recuperar el brillo y verdor de la costilla de Adán.

riégala con moderación

la hojas se asemejan al dibujo de las costillas

según va creciendo hay que guiarla

Origen: México, selvas tropicales
Luz: de poco luminoso a muy luminoso
Temperatura ideal: 16-21 °C
Temperatura mínima: 3-6 °C
Riego: pc. moderado; pd. dejar secar capa superficial entre riegos
Fertilización: pc. cada 3 semanas; pd. cada 2 meses

Costilla de Adán

Nefrolepis
NEPHROLEPIS EXALTATA

■ El nefrolepis es uno de los **helechos más común, atractivo y resistente** que podemos encontrar en nuestras casas. Sus largos frondes, estrechos y subdivididos, se arquean, lo que dota a la planta de una gracia y elegancia que unido a su fácil cultivo hace que sea una de las elecciones más acertadas y popular.

■ En las zonas más templadas que gocen de un invierno suave sin heladas podemos plantar este helecho en el exterior directamente en tierra, contra una fachada al norte por ejemplo, y rápidamente la colonizará con sus rizomas, de los que brotan nuevas plantas que dan paso a sus largas hojas, aportando frescor y belleza allí donde se ubiquen.

cuidados

■ Aunque se trata de uno de los helechos más fácil de cultivar, un poco de atención en su cuidado se verá recompensado con un helecho exuberante.

■ Como a la mayoría de los helechos, **les gusta los lugares luminosos, pero nunca el sol directo,** que quema sus tiernas hojas. También soportan bien cierta penumbra, siempre que ésta no sea muy oscura.

■ Los helechos **no son muy exigentes en cuanto a condiciones del sustrato** y cualquier sustrato universal para plantas de interior es más que suficiente para un desarrollo óptimo. Como su sistema radicular no es muy potente tampoco precisa grandes tiestos.

■ **El sustrato hemos de mantenerlo húmedo,** nunca empapado, y en invierno espaciaremos los riegos, aunque nunca dejaremos secar la tierra. Para abonar recurriremos a diluir un fertilizante universal para plantas de interior a la mitad recomendada y regar con ella una vez al mes durante el periodo de crecimiento.

consejos

■ Como es un helecho muy agradecido, es posible que cuando llegue la primavera ya tenga un tamaño considerable y queramos tener más nefrolepis en más lugares… **Su multiplicación es muy sencilla,** y lo único que deberemos de hacer es dividir el cepellón con un cuchillo, dividiendo las plantas, con cuidado de no partir la roseta de cada una de ellas por la mitad.

el sustrato siempre húmedo
pero sin encharcarlo

pulveriza las hojas con
regularidad

luz tamizada sin sol directo

Origen: selvas tropicales
lluviosas y subtropicales
Luz: de luminoso a muy
luminoso, nunca sol directo
Temperatura ideal: 16-21 ºC
Temperatura mínima: 3-6 ºC
Riego: abundante, evitar
encharcamiento
Fertilización: pc. cada mes;
pd. cada 3 meses

Nefrolepis

Filodendro

PHILONDENDRON BIPINNATIFIDUM

■ Los filodendros son plantas originarias del sotobosque húmedo de América tropical. **La mayoría de los filodendros son trepadores** y unos pocos son tipo mata, como el *Philodendron bipinnatifidum,* que crea un gran número de hojas en roseta desde un punto central, siendo éstas de gran tamaño y estando nervadas en su perímetro, lo cual le confiere un aspecto parecido a la costilla de Adán.

■ La mata generada por este filodendro adquiere una forma semiesférica de gran tamaño, por lo que requiere gran espacio para lucir todo su potencial. Con el tiempo puede desarrollar un tronco robusto y convertirse en un ejemplar arquitectónico de gran valor.

■ Las hojas pueden llegar a alcanzar los 80-90 cm de longitud y las características nervaduras perimetrales se agudizan según la planta alcanza la madurez. El filodendro de la foto es de la variedad "Xanadu" y es una de las más espectaculares.

cuidados

■ Al ser una planta de sotobosque deducimos que no tolera el sol directo. **Le destinaremos un lugar con luz moderada, siempre protegida de la incidencia directa del sol.** Es exigente en cuanto a humedad, por lo que mantendremos el sustrato continuamente húmedo durante la primavera y verano y reduciremos el riego durante el invierno.

■ No exige humedad ambiental pero **agradece ser rociada con agua puntualmente.**

consejos

■ Puede ser que si el filodendro no tiene luz tamizada por todo su contorno tienda a arquearse en busca de la luz, desequilibrando el porte y aspecto semiesférico propio de estas plantas de interior. Para evitar estos crecimientos descompensados, **gira el tiesto periódicamente,** con lo que nos aseguramos de que todas las partes de la planta reciban la misma cantidad de luz.

■ **Abónala en primavera** para mantener y potenciar toda la lustrosidad propia del filodendro.

limpia las hojas de vez en cuando para potenciar su brillo innato

el sol directo dañará las hojas

las hojas que envejecen y amarillean hay que cortarlas

Origen: Brasil

Luz: de luminoso a muy luminoso, nunca sol directo

Temperatura ideal: 16-21 ºC

Temperatura mínima: 3-6 ºC

Riego: pc. moderado; pd. dejar secar capa superficial entre riegos

Fertilización: pc. cada 3 semanas; pd. cada 2 meses

Filodendro

Filodendro

PHILONDENDRON ERUBESCENS

■ Este filodendro se caracteriza por sus **grandes hojas aflechadas y su pecíolo de coloración rojiza.** Es un filodendro trepador, por lo que según va creciendo su tallo se alarga creando raíces aéreas que se introducen en los distintos soportes, dando rigidez a la planta en la búsqueda continua de luz dentro del sotobosque tropical húmedo de donde es originaria.

■ Las nuevas hojas son de color verde brillante, pero al madurar adquieren tonalidades de verde más oscuro. El filodendro de la foto es de la variedad "Red Emerald", con hojas de un verde claro fresco que resaltan sobre los tallos rojos.

cuidados

■ **No tolera lugares expuestos al sol directo** y agradece un entorno con luz tamizada a través de una cortina.

■ **Durante el verano mantendremos siempre la tierra húmeda,** pero sin que quede agua en el recipiente de la base del tiesto. Cada 15 días le añadiremos abono para plantas de hoja y durante el invierno eliminaremos el abono y reduciremos los riegos dejando que la parte superior de la tierra se seque entre riego y riego.

■ **Hay que proporcionarle humedad ambiental** rociando sus hojas periódicamente con agua tibia, lo que le ayuda a mantenerlas limpias y brillantes.

consejos

■ Al principio, la mata de este filodendro se mantiene sin ayuda de soporte, pero según va creciendo y saliendo nuevas hojas, el tallo se alarga y pierde consistencia, por lo que **tendremos que colocarle un tutor con musgo.** Los tallos los atamos al tutor y las raíces aéreas que salen del tallo se introducirán con cuidado en el tutor, dándole a la planta la rigidez y verticalidad deseadas. Para que las raíces se adhieran bien al tutor de musgo, moja con el agua de riego el tutor para que se humedezca y promueva el crecimiento de las raíces.

según van creciendo
demandan un tutor

genera gruesas raíces
aéreas

riégala con
moderación

Origen: Sudamérica
Luz: de luminoso a muy luminoso,
nunca sol directo
Temperatura ideal: 16-21 °C
Temperatura mínima: 3-6 °C
Riego: pc. moderado; pd. dejar
secar capa superficial entre riegos
Fertilización: pc. cada 3
semanas; pd. cada 2 meses

Filodendro

plantas que trepan y cuelgan

Dentro del amplio reino vegetal existen plantas que son incapaces de endurecer su tallo y, por tanto, de mantenerse verticales por sí solas. Estas plantas, algunas trepadoras y otras rastreras, las agrupamos dentro de este capítulo. Las trepadoras necesitan la ayuda de cualquier soporte vertical para ir en busca de la ansiada luz y, en ausencia de este soporte, deambulan, al igual que las plantas rastreras, por la superficie de la tierra.

En realidad, ninguna de estas plantas está diseñada para colgar, pero en ausencia de un soporte vertical o de una superficie por donde poder reptar no les queda otro remedio que colgar sus flexibles tallos.

Nosotros nos aprovechamos de esta particularidad y utilizamos este amplio grupo de plantas de tallo flexible para crear efectos decorativos colgantes en nuestras casas. Las situamos sobre estanterías, en cestos colgantes y ellas crecen hacia abajo.

En este capítulo, he introducido mucha planta crasa de porte rastrero, y por tanto colgante, ya que uno de los inconvenientes de las plantas colgantes situadas en lugares altos es el riego: las crasas requieren poco riego, lo que hace que sea mucho más sencillo mantenerlas en posiciones altas.

En mi casa tengo varias plantas de las que trepan y cuelgan, cultivadas en cestos colgantes que a su vez están sujetos al techo cerca de una ventana. El efecto decorativo es impresionante y la verdad es que llegan a hacer sombra incluso a las lámparas más vistosas. Seguro que tenéis un espacio, estantería, mesita… en vuestra casa para colocar alguna de estas plantas que trepan y cuelgan.

Abutillón megaponticum

ABUTILLON MEGAPONTICUM

■ El abutillón megaponticum es una trepadora que puede ser cultivada en exterior y en interiores muy luminosos. Su **emplazamiento ideal es contra la fachada de un porche orientado al sur.**

■ Es una planta que prácticamente **no cesa de florecer a lo largo de todo el año,** siendo más abundante su floración en otoño, invierno y primavera. Sus pequeñas flores rojas a modo de farolillos resultan muy elegantes.

■ Es un arbusto muy vigoroso, por lo que si se planta directamente en tierra irá creciendo poco a poco cubriendo la pared sobre la que lo deberemos de apoyar.

cuidados

■ Es una planta que **aguanta hasta -5 °C,** así que si la temperatura desciende por debajo de esta mínima habrá que protegerla. Su mejor ubicación reside contra una fachada sur, y si la cultivamos en interior le debemos destinar el lugar más luminoso y soleado del hogar.

■ **Los riegos deben ser regulares,** manteniendo la tierra siempre con algo de humedad, pero evitando los encharcamientos.

■ **Una plaga común del abutillón es la mosca blanca.** Al mover la planta, si observamos que salen mosquitas revoloteando, realizaremos un tratamiento específico contra la mosca blanca.

consejos

■ Según va creciendo el abutillón, veremos que sus nuevos brotes no tienen consistencia para mantenerse erguidos. Tenemos dos opciones, una es colocarle una estructura vertical para guiar los brotes sobre ellas, y otra es colocarla en una posición alta y dejar que los brotes, según vayan cayendo, aporten un aspecto colgante al conjunto.

según crecen sus ramas tienden a arquearse, siendo necesario guiarla

mucha luz, al menos durante más de 5 horas al día

las flores aparecen sobre todo durante el invierno

atractivas flores que semejan a farolillos chinos

abundante riego durante el periodo de crecimiento

Origen: Brasil
Luz: muy luminoso, algo de sol directo
Temperatura ideal: 15-21 °C
Temperatura mínima: –1-3 °C
Riego: pc. moderado; pd. dejar secar capa superficial entre riegos
Fertilización: pc. cada 3 semanas; pd. cada 2 meses

Abutillón megaponticum

33

Aeschynantus colgante

AESCHYNANTHUS LOBBIANUS

■ El *Aeschymanthus* es una **planta de interior de porte colgante,** muy resistente y con doble interés decorativo, tanto por sus largos y colgantes tallos rodeados de hojas de tamaño medio, rígidas y de color verde intenso, como por sus flores rojas que aparecen en la coronación de los tallos. **En cada inflorescencia aparecen varias flores rojas, como pequeñas trompetas,** lo que le confiere a esta planta elegancia y singularidad.

cuidados

■ Es una planta de interior de porte colgante que **requiere entornos luminosos sin sol directo.** Si se cultiva en un lugar excesivamente sombrío, con poca luz, puede ocurrir que la planta mantenga el verdor pero que no aparezcan nuevas flores. Por tanto, para potenciar una prolongada y abundante floración, la colocaremos cerca de una ventana.

■ Los riegos han de ser moderados, pero es **exigente en cuanto a humedad ambiental,** por lo que hay que **pulverizar regularmente.** La regaremos con agua tibia cuando veamos que la tierra se ha comenzado a secar, pero sin esperar a que se seque del todo.

consejos

■ Esta planta, colocada sobre una estantería cercana a una ventana, puede lucir mucho, pero **hemos de abonarla con abono líquido de floración mezclado en el agua de riego.** El abono de floración, además de potenciar el crecimiento de los tallos y hojas, hará que la floración del *Aeschymanthus* sea mucho más intensa y colorista, duplicando por tanto su interés ornamental.

las flores son pequeñas
trompetas rojas

mucha luz y sol indirecto

agradece ser rociada con
agua para aumentar la
humedad del aire

el sustrato ha de estar
húmedo, se riega
sumergiéndola en agua
una vez a la semana

Origen: sur del Pacífico
Luz: muy luminoso, algo de sol directo
Temperatura ideal: 16-25 ºC
Temperatura mínima: 5-10 ºC
Riego: pc. húmedo; pd. dejar secar capa superficial entre riegos
Fertilización: pc. cada 3 semanas; pd. cada 2 meses

Aeschynantus
colgante

Aporacactus flagalliformis

APORACACTUS FLAGALLIFORMIS

- El *Aporocactus* o cactus "rasta", como me gusta llamarlo, es una planta colgante realmente decorativa. Sus tallos carnosos, cilíndricos, largos y colgantes están cubiertos por infinidad de pequeños pinchos.

- **Es una planta muy resistente y elegante, fácil de cultivar,** y además del interés intrínseco de los tallos colgantes, durante los últimos meses de invierno florece intensamente llenándose de flores de color fucsia de gran tamaño que añaden un interés indiscutible al *Aporocactus*.

cuidados

- Al tratarse de una cactácea podemos deducir que el *Aporocactus* **requiere exposiciones lo más soleadas y luminosas posibles.** De ser cultivada en un lugar poco soleado, el crecimiento de los nuevos tallos no será todo lo fuerte y consistente posible, desluciendo el aspecto general de este cactus colgante.

- **Los riegos han de ser moderados,** y los realizaremos recurriendo a humedecer el cepellón de tierra sumergiéndolo en agua tibia una vez hayamos detectado que éste está seco.

consejos

- Personalmente, he triunfado con este cactus cultivándolo en exterior e interior simultáneamente. Durante el invierno lo coloco dentro de casa junto a una ventana, y hacia febrero-marzo se llena de flores. Pasada la floración y el riesgo de heladas, saco el *Aporocactus* al balcón dejándole que se aclimate y crezca vigoroso y fuerte durante el verano, para volver a meterlo en casa en otoño cuando las temperaturas empiezan a bajar.

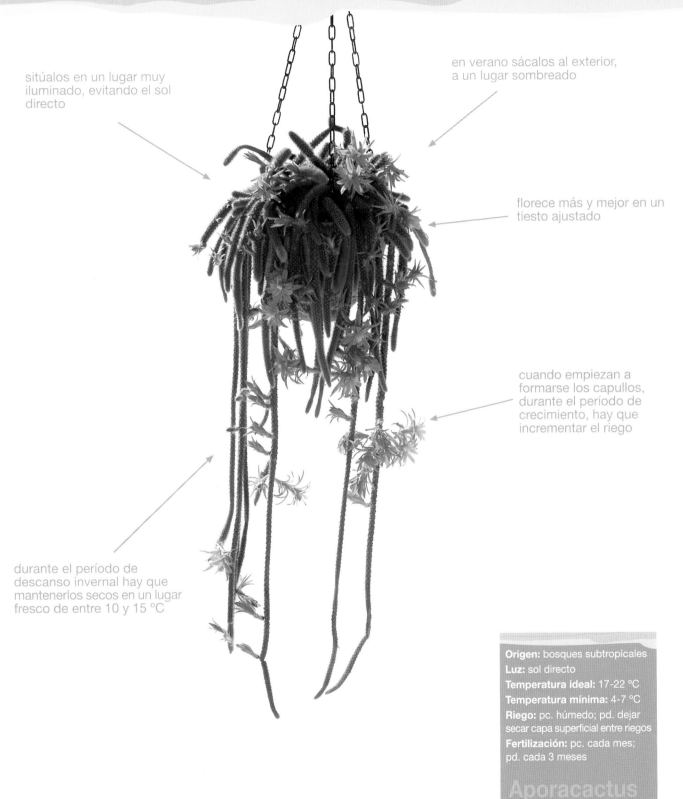

sitúalos en un lugar muy iluminado, evitando el sol directo

en verano sácalos al exterior, a un lugar sombreado

florece más y mejor en un tiesto ajustado

cuando empiezan a formarse los capullos, durante el período de crecimiento, hay que incrementar el riego

durante el período de descanso invernal hay que mantenerlos secos en un lugar fresco de entre 10 y 15 °C

Origen: bosques subtropicales
Luz: sol directo
Temperatura ideal: 17-22 °C
Temperatura mínima: 4-7 °C
Riego: pc. húmedo; pd. dejar secar capa superficial entre riegos
Fertilización: pc. cada mes; pd. cada 3 meses

Aporacactus flagalliformis

Ceropegia woodii

CEROPEGIA WOODII

■ La *Ceropegia* **es una planta suculenta de porte colgante y desordenado,** caracterizada por crear tallos largos y finos de los cuales surgen pequeñas hojas redondeadas y carnosas de color verde plateado. Estas hojas en contacto con el sol directo adquieren tonalidades rosáceas. En verano produce pequeñas flores rosadas nada corrientes, como si flores de cera se tratase, lo cual le confiere el nombre a esta planta suculenta.

cuidados

■ Es una planta que **puede crecer perfectamente tanto en lugares muy soleados como en semisombra.** Al poseer raíces tuberosas, la planta crea sus propias reservas de agua, por lo que no requiere muchos riegos. De hecho, es aconsejable regar el sustrato una vez que éste se haya secado completamente.

■ Al tratarse de una planta suculenta, **tolera muy bien los ambientes secos** de una casa con calefacción central, no teniendo que recurrir a pulverizarla. A pesar de ser una planta muy resistente, es aconsejable abonarla una vez al mes durante el periodo de crecimiento.

consejos

■ Esta planta ofrece unas posibilidades decorativas muy interesantes ya que su aspecto desgarbado en forma de cortina invita a **colgarla en un lugar alto del hogar para poder contemplar el porte colgante de sus tallos largos y finos.** El hecho de estar ubicada en una posición alta no supone un sobreesfuerzo a la hora de regarla, ya que **requiere riegos muy puntuales.**

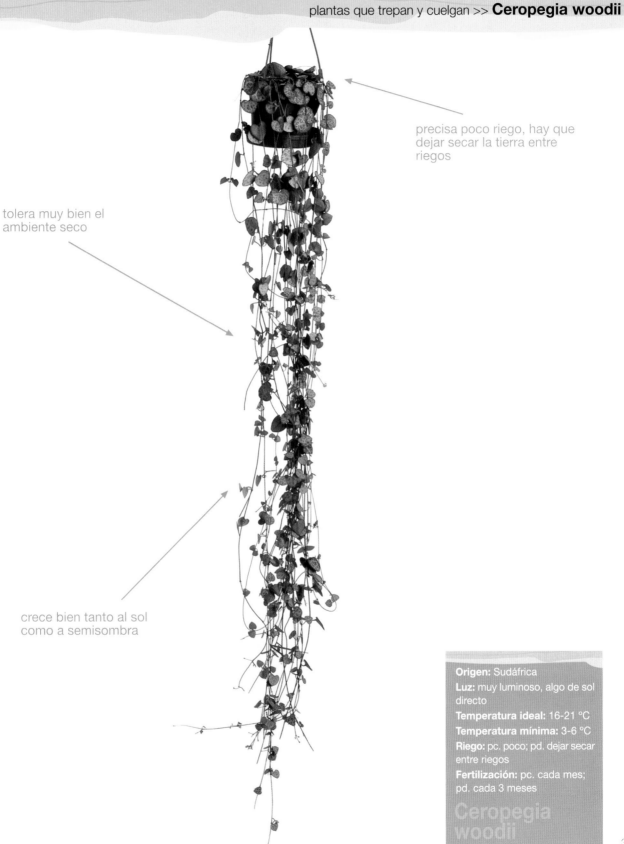

precisa poco riego, hay que
dejar secar la tierra entre
riegos

tolera muy bien el
ambiente seco

crece bien tanto al sol
como a semisombra

Origen: Sudáfrica
Luz: muy luminoso, algo de sol
directo
Temperatura ideal: 16-21 °C
Temperatura mínima: 3-6 °C
Riego: pc. poco; pd. dejar secar
entre riegos
Fertilización: pc. cada mes;
pd. cada 3 meses

Ceropegia
woodii

Ciso

CISSUS RHOMBIFOLIA

- El ciso es una tradicional planta de porte trepador de rápido crecimiento. **Es prácticamente indestructible** y gracias a su rusticidad es una planta de interior que abunda en muchos hogares.

- **Sus tallos son finos y crecen con rapidez** dando paso a nuevas hojas trilobuladas de color verde brillante. Puntualmente aparecen los zarcillos, que son unas hojas modificadas que la planta utiliza para trepar sobre cualquier soporte.

- Gracias a este porte delicado pero seguro podemos cultivar el ciso en un cesto colgante o en un tiesto donde previamente hayamos colocado una estructura. En poco tiempo cubrirá la estructura y creará un volumen denso de hojas verdes que aportarán frescor y elegancia.

cuidados

- Lo ideal es que el ciso **esté colocado cerca de un punto con luz abundante,** pero la rusticidad del ciso hace que pueda crecer y lucirse en rincones con poca luz dentro del hogar.

- **El mayor enemigo del ciso es el exceso de agua,** que provocará la caída masiva de las hojas maduras. Mantén el sustrato húmedo en verano y déjalo secar entre riego y riego durante el resto del año. Tolera los ambientes secos, por lo que no exige pulverizaciones regulares.

consejos

- Si cultivas el ciso en un cesto colgante te sorprenderá la rapidez con la que la planta va creciendo creando una gran bola de hojas. Con el tiempo, la parte superior se quedará despoblada de hojas, por lo que cogeremos varios de los tallos colgantes y los subiremos a la parte superior del cesto consiguiendo de esta forma recuperar el volumen esférico inicial.

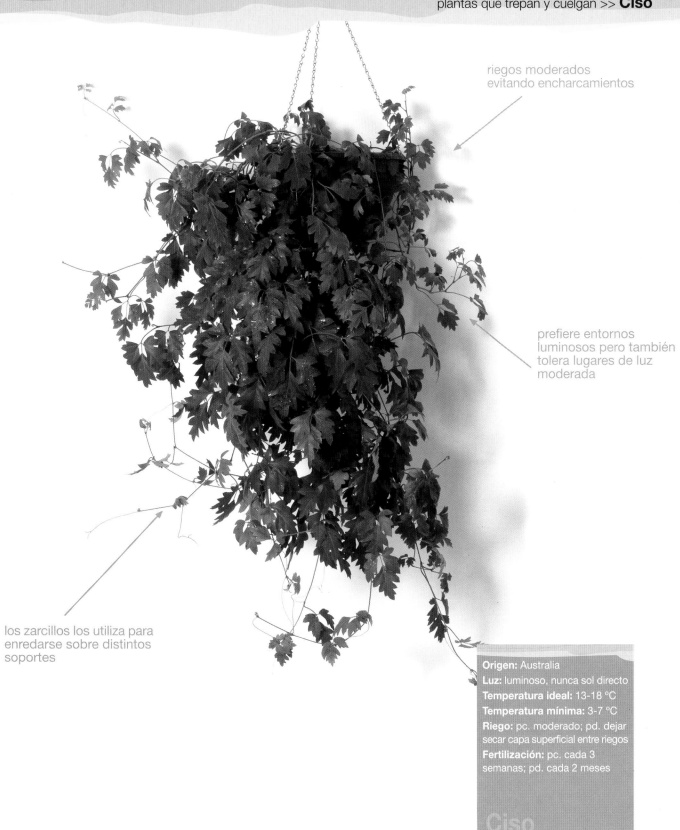

riegos moderados
evitando encharcamientos

prefiere entornos
luminosos pero también
tolera lugares de luz
moderada

los zarcillos los utiliza para
enredarse sobre distintos
soportes

Origen: Australia
Luz: luminoso, nunca sol directo
Temperatura ideal: 13-18 ºC
Temperatura mínima: 3-7 ºC
Riego: pc. moderado; pd. dejar
secar capa superficial entre riegos
Fertilización: pc. cada 3
semanas; pd. cada 2 meses

Ciso

41

Echinocereus gentryi

ECHINOCEREUS GENTRYI

- El *Echinocereus* **es un cactus** que posee unos tallos tubulares cubiertos por abundantes espinas, que tienden a arquearse aportando al conjunto de la planta un porte colgante. Este cactus tiende a ramificar abundantemente, creando una mata densa llena de tallos arqueados.

- Al estar recubierto por espinas su manipulación ha de ser cuidadosa para evitar clavarnos sus engorrosas espinas.

cuidados

- Como todos los cactus, el *Echinocereus* es un cactus que **requiere exposiciones lo más soleadas posibles.** Cuanta más luz tenga, más compacto será su crecimiento.

- En cuanto a la necesidad de agua, **son muy resistentes a la sequía,** por lo que el riego lo realizaremos cuando el sustrato se haya secado completamente. En el periodo de crecimiento, durante el verano, añadiremos abono líquido específico para cactus en el agua del riego quincenalmente.

consejos

- Para potenciar la floración del *Echinocereus* es aconsejable mantener el cepellón seco durante el invierno y mantenerlo a una temperatura fresca, sin bajar de los 10 °C. **La falta de agua y el frescor inducirán a la floración primaveral,** y tras esta floración podemos sacar el *Echinocereus* a la terraza, a exposición a pleno sol, para que pase el verano con abundante sol directo.

le gusta pasar el verano en
el exterior

mucho sol durante todo
el año

atractivos tallos
colgantes que florecen
en primavera

le gusta pasar el verano
en exterior

Origen: México, zonas desérticas
Luz: sol directo
Temperatura ideal: 16-21 °C
Temperatura mínima: 3-6 °C
Riego: pc. poco; pd. dejar secar
capa superficial entre riegos
Fertilización: pc. cada mes;
pd. cada 3 meses

Echinocereus
gentryi

Cactus Pascua

EPIPHYLLUM ANGULIGUER

■ Esta planta es un cactus que al principio posee un porte erguido, pero según va creciendo sus tallos no tienen suficiente consistencia y van tomando un porte colgante. **Sus tallos son verdes, acintados y planos,** con los bordes colgantes, lo cual le confiere a este cactus gracia y distinción.

■ Según van creciendo los tallos van apareciendo raicillas aéreas que la planta utiliza para ir sujetándose sobre otros soportes y expandirse. **En verano produce flores tubulares de color blanco.**

cuidados

■ Es un cactus que **no tolera el frío,** siendo su temperatura mínima 10 °C. Como todos los cactus, necesita entornos lo más luminosos posibles, siendo la falta de luz motivo para que el *Epiphyllum* genere tallos más largos y débiles de lo normal.

■ **Los riegos han de ser moderados,** regando el cepellón una vez que se haya secado del todo. En invierno, durante la parada vegetativa, es aconsejable dejar la planta sin regar, evitando de esta forma las posibles podredumbres por exceso de agua.

consejos

■ Si vives en una zona mediterránea templada, sin heladas invernales, este cactus se puede plantar junto a los troncos de las palmeras. Gracias a las raicillas que salen de los tallos este cactus irá trepando alrededor del tronco de la palmera, vistiéndolo y creando un conjunto curioso y elegante.

deja secar la tierra en el invierno

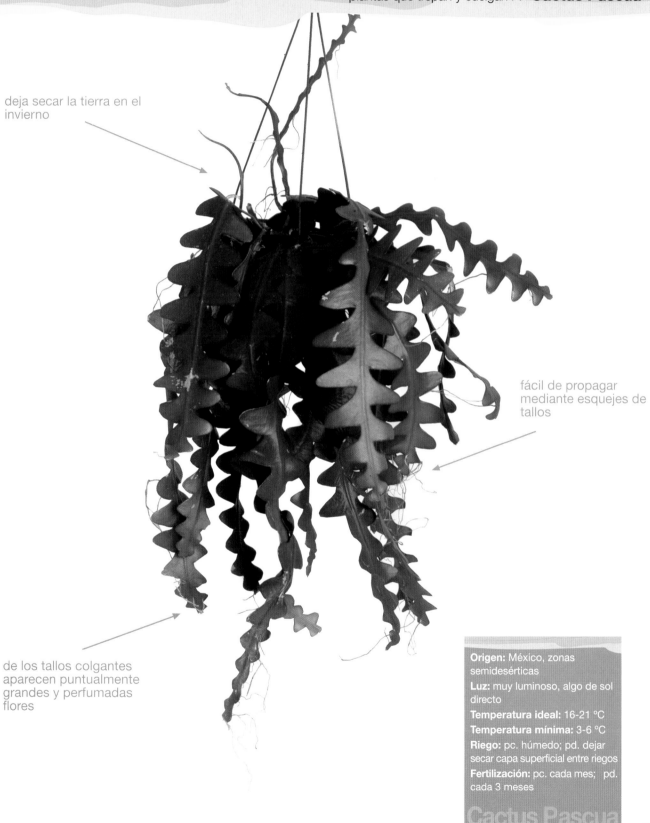

fácil de propagar mediante esquejes de tallos

de los tallos colgantes aparecen puntualmente grandes y perfumadas flores

Origen: México, zonas semidesérticas
Luz: muy luminoso, algo de sol directo
Temperatura ideal: 16-21 ºC
Temperatura mínima: 3-6 ºC
Riego: pc. húmedo; pd. dejar secar capa superficial entre riegos
Fertilización: pc. cada mes; pd. cada 3 meses

Cactus Pascua

45

Poto

EPIPRENUM PINNATUM

■ El poto **es una planta trepadora del bosque tropical con hojas verdes teñidas con dibujos de color crema.** Estas hojas, cuando la planta está reptando por el bosque en busca de una guía o soporte para trepar, son de tamaño pequeño, pero según se adhiere la planta a un soporte y comienza a trepar, las hojas comienzan a aumentar de tamaño.

■ Para lograr que las hojas alcancen su tamaño definitivo requieren **condiciones de humedad ambiental muy altas,** lo cual es difícil de lograr en un hogar.

cuidados

■ El poto es una **planta muy resistente que requiere exposiciones muy luminosas** para poder mantener todo su follaje en condiciones. Con falta de luz, el poto pierde las hojas inferiores y desarrolla tallos largos y débiles que crecen en busca de la luz.

■ **Los riegos han de ser moderados** ya que un exceso de riego provoca el amarilleamiento de las hojas y su posterior caída. Una pulverización periódica con agua tibia sobre el follaje ayuda a mantener la planta con mejor aspecto.

consejos

■ **El poto es una planta fácil de cultivar** y con el paso del tiempo irá creciendo dando paso a tallos largos que pueden llegar a perder las hojas de la base, quedando la planta un tanto deslucida. Si esto ocurre, se pueden realizar esquejes de las puntas para volver a plantarlos en el tiesto; conseguiremos una mayor densidad en la base gracias a los nuevos esquejes y las ramificaciones que surjan a partir del punto de pinzamiento de los tallos.

deja que la tierra se seque
entre riegos

requiere luz tamizada a
través de una cortina

los tallos según se
alargan pueden ser
guiados por la
habitación

poda los tallos cuando
se queden desnudos

Origen: islas Salomón
Luz: muy luminoso
Temperatura ideal: 16-21 ºC
Temperatura mínima: 3-6 ºC
Riego: pc. poco; pd. dejar secar
entre riegos
Fertilización: pc. cada mes;
pd. cada 3 meses

Poto

Ficus pumila

FICUS PUMILA

■ El género *Ficus* es muy extenso, destacando principalmente los ficus de porte arbóreo. Sin embargo, el *Ficus pumila* **es una planta trepadora de hojas pequeñas y tallos débiles** que en su hábitat originario trepan sobre diferentes soportes, como troncos de árboles o paredes rocosas.

■ Al tratarse de una **planta rastrera y trepadora** puede ser utilizada indistintamente como planta de porte colgante o tapizando la base de otras plantas de interior como cubresuelos.

cuidados

■ Es una planta de sotobosque, por lo que **no es muy exigente en cuanto a luz.** Su máximo crecimiento se consigue con temperaturas constantes alrededor de los 20 °C, pudiendo soportar en exterior y debidamente aclimatados temperaturas que rondan los 0 °C.

■ **Durante el crecimiento es importante que no se le seque la tierra,** regando regularmente, pero evitando los encharcamientos. En invierno, sin embargo, han de reducirse los riegos, pues la planta cesa su actividad.

■ **Requiere humedad ambiental alta,** por lo que hay que pulverizar sus hojas con agua tibia regularmente.

consejos

■ Si vives en una zona de clima templando y húmedo, como las costas de Galicia, Asturias, Cantabria, Cádiz y Gerona, prueba a plantarla contra un muro exterior orientado al norte. Una vez que arraigue, comenzará a crecer cubriendo toda la pared con sus características pequeñas hojas verdes con forma de corazón. En mi jardín tengo plantado un ficus contra un muro y ha sobrevivido a temperaturas mínimas de -5 °C.

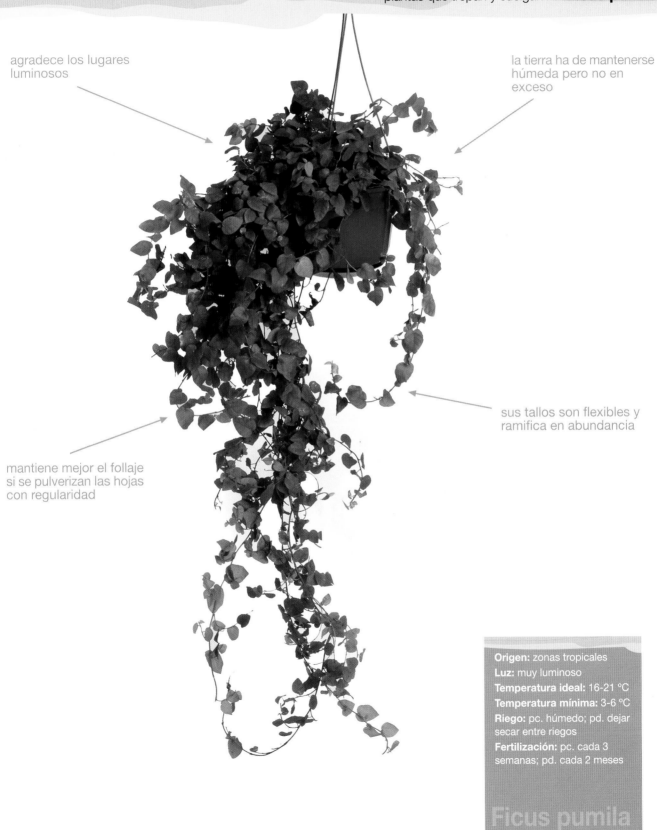

agradece los lugares
luminosos

la tierra ha de mantenerse
húmeda pero no en
exceso

sus tallos son flexibles y
ramifica en abundancia

mantiene mejor el follaje
si se pulverizan las hojas
con regularidad

Origen: zonas tropicales
Luz: muy luminoso
Temperatura ideal: 16-21 °C
Temperatura mínima: 3-6 °C
Riego: pc. húmedo; pd. dejar
secar entre riegos
Fertilización: pc. cada 3
semanas; pd. cada 2 meses

Ficus pumila

Hedera helix "Golden Marco"

HEDERA HELIX "GOLDEN MARCO"

- **Las hiedras son plantas trepadoras polivalentes** que pueden ser cultivadas tanto en interior como en exterior. En origen, la hiedra es una planta de sotobosque que primero tiene un porte rastrero hasta que se encuentra con un soporte, como el tronco de un árbol, al cual se adhieren gracias a unas raicillas aéreas, trepando en busca de luz para proceder a la floración.

- Como planta de interior destacamos **la elegancia de su porte colgante y los matices y dibujos en verde y color crema de las distintas variedades.** Esta variedad de hiedra en concreto posee las hojas pequeñas matizadas en verde y amarillo.

cuidados

- Las hiedras **toleran exposiciones no excesivamente luminosas,** aunque su desarrollo óptimo lo tienen en condiciones de luz abundante sin sol directo.

- **La tierra ha de mantenerse húmeda** pero sin abusar de los encharcamientos que suelen producir amarilleamiento y caída de las hojas. Para potenciar el brillo propio de las hojas de la hiedra es aconsejable rociarlas regularmente con agua tibia.

consejos

- Para mantener las hiedras sanas y lúcidas **es aconsejable los días de lluvia sacarlas al exterior para que se mojen copiosamente.** El agua de lluvia las limpia y sanea de posibles plagas que se adhieren a las hojas. Si donde vivimos es una zona donde llueve poco, podemos simular el efecto de la lluvia introduciendo la planta en la bañera y proporcionándole una ducha copiosa. Dejaremos escurrir posteriormente el exceso de agua y la colocaremos de nuevo en su lugar.

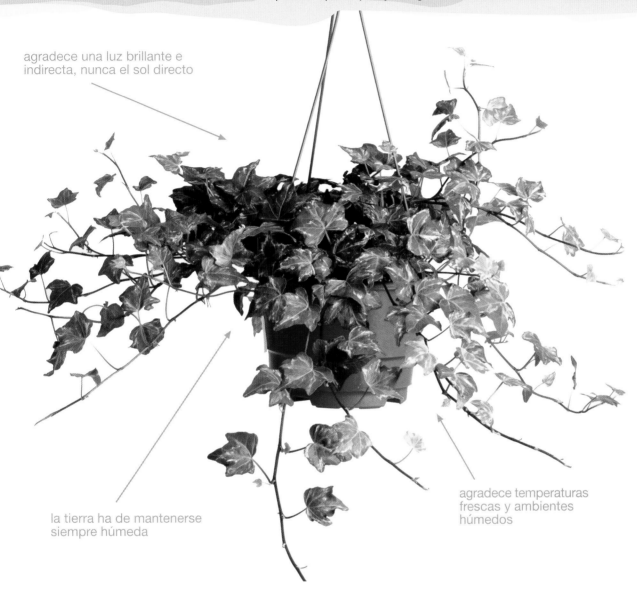

agradece una luz brillante e
indirecta, nunca el sol directo

la tierra ha de mantenerse
siempre húmeda

agradece temperaturas
frescas y ambientes
húmedos

Origen: Europa
Luz: de luminoso a muy luminoso,
nunca sol directo
Temperatura ideal: 13-18 °C
Temperatura mínima: −1-0 °C
Riego: pc. moderado; pd. dejar
secar capa superficial entre riegos
Fertilización: pc. cada 3
semanas; pd. cada 2 meses

Hedera helix
"Golden Marco"

Planta de cera

HOYA CARNOSA

■ **La hoya es una excelente planta de interior,** de porte colgante o trepador con características hojas gruesas y curvadas de color verde oscuro y brillante.

■ Además de la **curvatura original de sus hojas, los tallos también tienden a crecer en forma de espiral,** lo que le da a la planta un aspecto retorcido muy decorativo y original. Durante la primavera crea unas inflorescencias en forma de racimillos con múltiples flores pequeñas que cuelgan desprendiendo una fragancia dulce. También es habitual que formen unas gotas de néctar pegajoso.

■ Se puede cultivar indistintamente sobre un cesto colgante dejando que su ramaje se arquee y cubra el cesto o se le puede colocar una guía para que las ramas se vayan arqueando y lentamente cubran toda la estructura.

cuidados

■ A pesar de que sus hojas gruesas parezcan aguantar cualquier exposición con poca luz, la hoya **requiere exposiciones con mucha luz difusa,** e incluso con algo de luz solar directa.

■ **Los riegos han de ser moderados,** evitando los encharcamientos y dejando que el sustrato se seque entre riego y riego. Hay que evitar que el cepellón se llegue a secar completamente.

■ **Puntualmente agradece ser pulverizada,** con lo que eliminaremos el polvo que se haya adherido a las hojas carnosas y recurvadas.

consejos

■ **Es necesaria una exposición muy luminosa** para conseguir que año tras año la planta de cera nos sorprenda con sus fragantes flores blancas. Cuando observes que la planta ha comenzado a crear los capullos de flor no la muevas, ya que podrían caerse y, por tanto, perderíamos la flor, un complemento sutil e interesante de esta planta trepadora de porte y forma original.

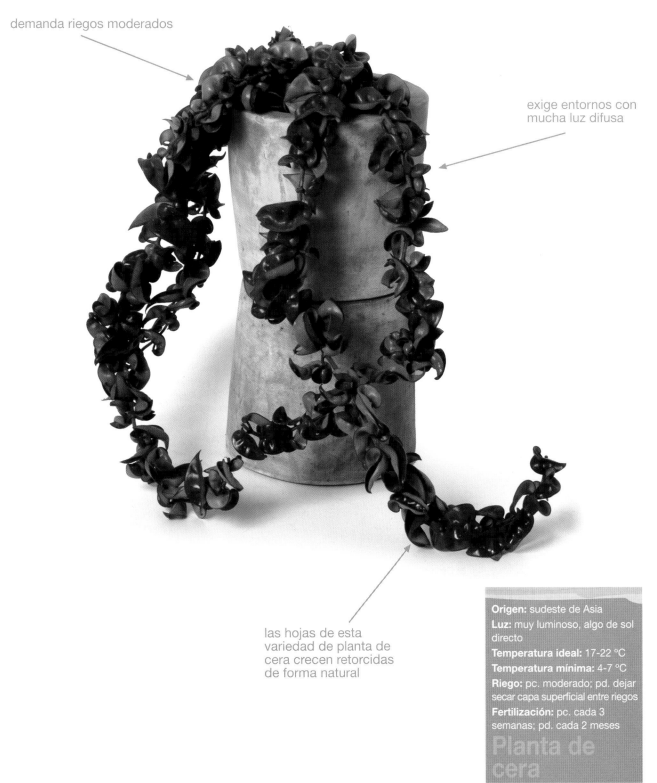

demanda riegos moderados

exige entornos con mucha luz difusa

las hojas de esta variedad de planta de cera crecen retorcidas de forma natural

Origen: sudeste de Asia
Luz: muy luminoso, algo de sol directo
Temperatura ideal: 17-22 ºC
Temperatura mínima: 4-7 ºC
Riego: pc. moderado; pd. dejar secar capa superficial entre riegos
Fertilización: pc. cada 3 semanas; pd. cada 2 meses

Planta de cera

53

Rhipsalis cassutha

RHIPSALIS CASSUTHA

■ El *Rhipsalis* **es un cactus de porte colgante** compuesto por tallos de color verde brillante cilíndricos, que primero son de porte erguido y según van creciendo pierden consistencia y adquieren porte colgante. Sus tallos van ramificándose, por lo que la mata según se desarrolla va adquiriendo una forma peculiar a modo de peluca. A finales de invierno florece con pequeñas flores blancas.

cuidados

■ Al contrario que otros cactus colgantes de interior, el *Rhipsalis* **requiere exposiciones luminosas pero prefiere evitar el sol directo.**

■ **El riego,** como para todos los cactus, **ha de ser moderado,** dejando secar la tierra entre riego y riego. Para potenciar el crecimiento más largo y sano de sus tallos nos aseguraremos de añadir al agua de riego abono líquido específico para cactus con una frecuencia quincenal durante el periodo de crecimiento estival.

consejos

■ Aunque el *Rhipsalis* no requiere ser pulverizado, **es conveniente pulverizarlo o meterlo en la ducha para eliminar el polvo** que se puede ir acumulando en sus tallos verdes carnosos y cilíndricos. Sin polvo, el color verde de este cactus será más intenso y lucirá más.

deja secar la tierra
entre riego y riego

ducha la planta para
quitarle el polvo
acumulado

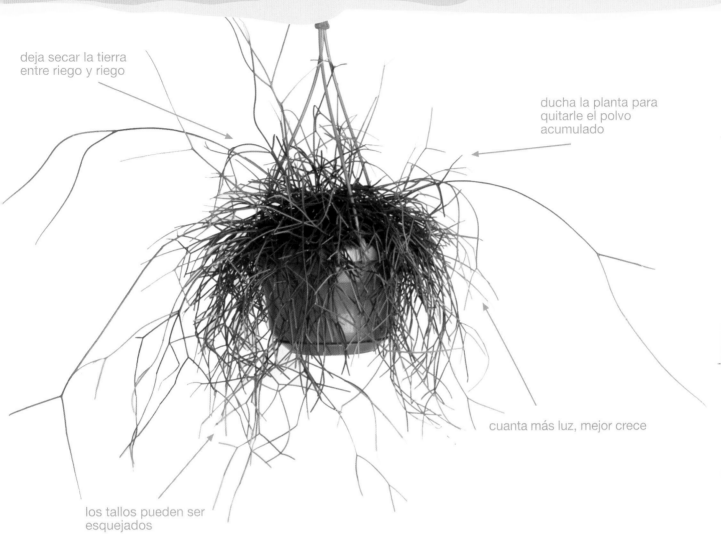

cuanta más luz, mejor crece

los tallos pueden ser
esquejados

Origen: zonas tropicales
Luz: muy luminoso
Temperatura ideal: 16-25 °C
Temperatura mínima: 5-10 °C
Riego: pc. moderado; pd. dejar
secar capa superficial entre riegos
Fertilización: pc. cada 3
semanas; pd. cada 2 meses

Rhipsalis
cassutha

Scindapsus pictus

SCINDAPSUS PICTUS

■ El *Scindapsus pictus* **es una planta trepadora de hojas gruesas** en cuya parte superior aparecen unas salpicaduras de color azul verdoso y crema.

■ Esta planta no ramifica con facilidad, por lo que genera largos tallos de porte completamente colgante que quedan vestidos por las características hojas del *Scindapsus pictus*.

■ **No es una planta de interior vigorosa,** pero su porte y colorido de follaje la convierten en una planta de porte colgante nada despreciable.

cuidados

■ Para su correcto desarrollo la ubicaremos en una **exposición bien iluminada pero al resguardo del sol directo.** Puede sobrevivir en condiciones de poca luz, pero no desarrollará todo su potencial decorativo.

■ **Es importante mantenerla con temperaturas templadas,** rondando los 20 ºC durante todo el año.

■ El *Scindapsus pictus* **requiere riegos constantes pero moderados durante todo el año,** aunque hay que evitar mantener la tierra excesivamente húmeda. Para proporcionar la humedad ambiental necesaria que exige, rociaremos sus hojas con agua tibia regularmente.

consejos

■ Si el *Scindapsus pictus* está creciendo excesivamente y sus tallos empiezan a tener exceso de longitud, es aconsejable subir estos tallos hasta el tiesto y acodarlos en el sustrato. De esta forma potenciaremos la aparición de nuevos brotes que densificarán la planta elegantemente.

deja la tierra más seca
en invierno

exige mucha luz pero
nunca sol directo

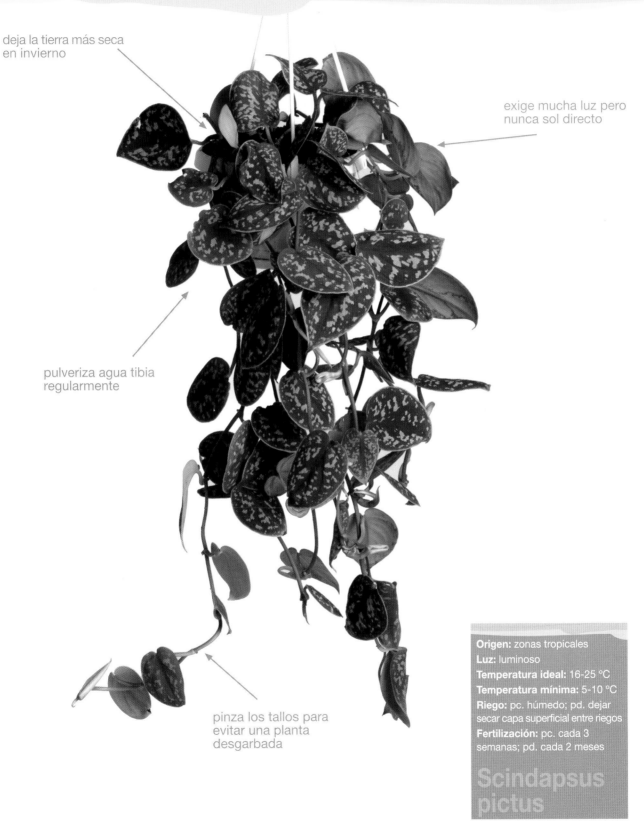

pulveriza agua tibia
regularmente

pinza los tallos para
evitar una planta
desgarbada

Origen: zonas tropicales
Luz: luminoso
Temperatura ideal: 16-25 °C
Temperatura mínima: 5-10 °C
Riego: pc. húmedo; pd. dejar
secar capa superficial entre riegos
Fertilización: pc. cada 3
semanas; pd. cada 2 meses

Scindapsus
pictus

Senecio rowleyanus

SENECIO ROWLEYANUS

■ Este senecio es una **planta suculenta, perenne y de porte colgante,** caracterizada por unos tallos alargados y muy delgados rodeados de hojas verdes cilíndricas y carnosas. Estas hojas en realidad son una reserva de agua, la cual le permite a la planta sobrevivir durante periodos de sequía. Es precisamente el porte colgante de sus finos tallos rodeados por las hojas carnosas lo que le confiere singularidad y originalidad a este senecio.

cuidados

■ Como planta suculenta que es, sus cuidados son bien sencillos. **Requiere exposiciones luminosas** cercanas a una ventana y temperaturas constantes y templadas a lo largo del año.

■ **Los riegos han de ser moderados,** dejando secar completamente el sustrato antes de proceder al siguiente riego. De hecho, se trata de una planta muy resistente y fácil de cultivar, siendo la única forma de fracasar el abuso de los riegos.

consejos

■ **El mayor enemigo del senecio es el exceso de agua,** por lo tanto, a la hora de trasplantarlo nos aseguraremos de crear en el fondo de la maceta una base generosa de drenaje, utilizando para ello grava volcánica, resto de tejas o trozos de tiestos rotos. De esta forma, al regar el senecio, el exceso de agua se eliminará con rapidez, evitando los tan perjudiciales encharcamientos.

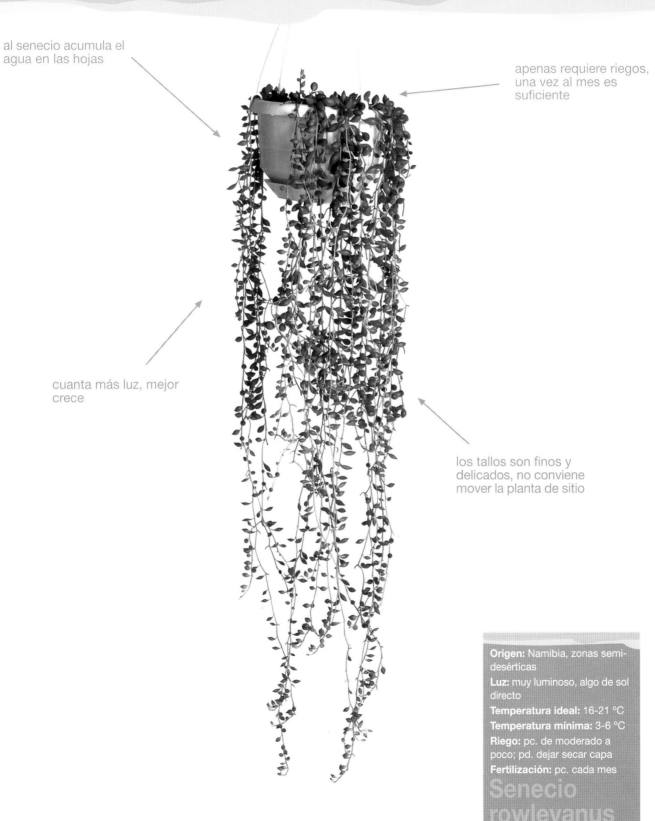

al senecio acumula el agua en las hojas

apenas requiere riegos, una vez al mes es suficiente

cuanta más luz, mejor crece

los tallos son finos y delicados, no conviene mover la planta de sitio

Origen: Namibia, zonas semi-desérticas
Luz: muy luminoso, algo de sol directo
Temperatura ideal: 16-21 ºC
Temperatura mínima: 3-6 ºC
Riego: pc. de moderado a poco; pd. dejar secar capa
Fertilización: pc. cada mes

Senecio rowleyanus

plantas como esculturas

El atractivo de muchas plantas de interior reside en la forma del tronco y en el propio porte de la planta. Tanto el tronco como el porte suelen ser esculturales, por lo que tranquilamente sustituyen a cualquier escultura.

La corriente de arte medioambiental crea obras basadas en procesos y los cambios propios de la Naturaleza, introduciendo el movimiento como parte esencial de la obra. Si adquirís una de estas plantas esculturales os aseguro que tendréis una obra de arte medioambiental ante vosotros. Sin duda, está a vuestra disposición considerar como obra de arte el hecho, por ejemplo, de que un cactus adquiera formas de candelabro o que la nolina haga un tronco esférico para guardar agua… Además, son esculturas vivas que crecen y cambian con el tiempo, ¿qué más se puede pedir?

Muchas de las plantas esculturales de este capítulo requieren un gran espacio para crecer y lucir su potencial escultórico, pero también las hay más pequeñas. Recuerda que es importante dejarles el espacio suficiente, sobre fondos neutros y sin excesivas interferencias para que todo el potencial escultural de estas plantas se aprecie en la medida justa.

Riega, abona, pulveriza con agua y trasplanta cada una de ellas de acuerdo a las necesidades individuales descritas en cada ficha y verás cómo tendrás una escultura viva, que crece y cambia con el tiempo, un concepto éste propio del arte actual más vanguardista.

plantas como esculturas

Áloe vera
ALOE VERA
>> 62

Pata de elefante
BEAUCARNEA RECURVATA
>> 64

Dracaena marginata tricolor
DRACAENA MARGINATA TRICOLOR
>> 66

Drácena bambú
DRACAENA SURCULOSA
>> 68

El asiento de la suegra
ECHINOCACTUS GRUSONII
>> 70

Pseudocactus
EUPHORBIA PSEUDOCACTUS
>> 72

Ficus benjamina
FICUS BENJAMINA
>> 74

Ficus bonsái
FICUS MICROCARPA
>> 76

Nolina
NOLINA LONGIFOLIA
>> 78

Pachira acuática
PACHYRA ACUATICA
>> 80

Cuernos de alce
PLATYCERIUM BIFURCATUM
>> 82

Yuca
YUCCA ELEPHANTIPES
>> 84

Áloe vera

ALOE VERA

■ El *Aloe vera* es una **planta popular por sus virtudes medicinales:** forma parte de muchas cremas y tratamientos de belleza y salud y es un excepcional cicatrizante. Todo el mundo debería tener un áloe vera en casa como complemento del botiquín para untar la gelatina interior de las hojas maduras sobre heridas o quemaduras, consiguiendo aliviar el dolor y acelerar la cicatrización. También es perfecta para relajar la piel después de una exposición excesiva al sol. Además de todas estas cualidades, **el áloe vera posee un aspecto escultórico muy decorativo, con grandes hojas y una decorativa floración primaveral.**

cuidados

■ Para tener éxito con el áloe **es muy importante colocar esta planta en el lugar más soleado posible.** Si carecemos de un interior soleado es mejor cultivar el áloe en un balcón orientado al sur. Con poca luz sus nuevas hojas serán largas y finas, lo que conlleva que el áloe pierda la consistencia y arquee sus hojas.

■ El áloe es una planta crasa que acumula el agua en sus hojas y, por tanto, **como toda planta crasa, requiere suelos secos, con la humedad justa.** Los riegos han de ser esporádicos y sólo cuando observemos que la tierra se ha secado. Un exceso de agua de riego o de lluvia provocará que aparezcan síntomas de podredumbre en tallos y hojas, llegando a morir en poco tiempo.

■ Para incentivar el desarrollo de nuevas y vigorosas hojas **es aconsejable abonar el áloe durante la primavera y el verano.**

consejos

■ **El áloe no soporta temperaturas frías,** por lo que una forma de triunfar con ella si vivimos en una zona húmeda y fría es alternar el cultivo del áloe en exterior e interior. Durante la primavera, verano y comienzos de otoño la cultivaremos en exposición soleada en la terraza o balcón, y el resto del año la cultivaremos en el interior de casa, al resguardo del frío y la lluvia, eso sí, destinándole un lugar soleado.

la flor aparece en
primavera si tiene
suficiente sol

con suficiente luz las hojas se
mantienen rígidas y tiesas

cuanto más sol, mejor
crece

sólo regaremos la tierra
cuando ésta se haya
secado

Origen: noroeste de África,
Arabia
Luz: muy luminoso, algo de sol
directo
Temperatura ideal: 18-25 °C
Temperatura mínima: 8-12 °C
Riego: pc. moderado; pd. dejar
secar capa superficial entre riegos
Fertilización: pc. cada mes;
pd. cada 3 meses

Áloe vera

63

Pata de elefante

BEAUCARNEA RECURVATA

■ La pata de elefante **es una original y elegante planta de interior** originaria del desierto meridional de México. Es una planta suculenta que al igual que los cactus crea su propio depósito de agua dentro del tronco. Con este fin el tronco se ensancha en la base, lo que le aporta un aspecto escultural indiscutible.

■ Además del atractivo del propio tronco, en la coronación de éstos salen unos tallos compuestos por muchas hojas, estrechas, largas y con una curvatura muy peculiar, tendiendo a rizarse completamente y a crear cabezas de hojas totalmente esféricas.

■ **Crece con mucha lentitud pero es muy fácil de cultivar** ya que tolera perfectamente los ambientes secos propios de la mayoría de casas con calefacción central. Todo lo relacionado con la pata de elefante es interesante y, por tanto, se trata de una de esas plantas que no debe faltar en nuestros hogares.

cuidados

■ Teniendo en cuenta el origen desértico al que pertenece la pata de elefante, podemos deducir que **es exigente en cuanto a luz.** Tolera exposiciones no muy luminosas pero siempre crecerá mejor cerca de una ventana con mucha luz. **Los riegos han de ser moderados.** El exceso de agua hace que el tallo se pudra por dentro, por lo que la regaremos exclusivamente cuando veamos que la tierra superior del tiesto ha comenzado a secarse. No requiere ser pulverizada ya que tolera perfectamente los ambientes secos.

consejos

■ Habrás observado que la pata de elefante **se cultiva siempre en tiestos bajos y anchos.** Esto es debido, por un lado, a que apenas hace raíces, y, por otro, porque un tiesto ancho realzará el atractivo del tronco. Si quieres trasplantarla a otro tiesto más acorde con la decoración de tu casa elige siempre un tiesto de tamaño aproximado al original y que también sea ancho. Si estás contento con el tiesto original no tendrás que trasplantar la pata de elefante hasta pasados muchos años.

exige mucha luz, incluso
sol directo

la base del tallo se
engrosa, creando
reserva de agua

no requiere trasplante
y exige pocos riegos

Origen: México
Luz: muy luminoso, también sol
directo
Temperatura ideal: 16-21 °C
Temperatura mínima: 3-6 °C
Riego: pc. de moderado; pd.
dejar secar capa superficial
entre riegos
Fertilización: pc. cada mes;
pd. cada 3 meses

Pata de elefante

Dracaena marginata tricolor

DRACAENA MARGINATA TRICOLOR

■ La drácena es una planta originaria del África tropical seca y ha demostrado ser una de las plantas que mejor se adapta al crecimiento en interior. **Es una planta de follaje fino y elegante.** Dependiendo de la variedad de que se trate, las hojas que normalmente son verdes suelen estar matizadas en distintos colores. Según van creciendo los tallos de las drácenas tienden a arquearse y del aspecto rígido y tieso inicial pasan a tener un porte anárquico y ligeramente arqueado, adquiriendo formas escultóricas.

■ Su fácil cultivo, colorido, finura del follaje y porte hacen de la drácena **una planta realmente decorativa y perfecta como adorno de interior.**

cuidados

■ Es una planta que **soporta prácticamente todas las condiciones de luz,** creciendo bien tanto cerca de una ventana como en rincones menos luminosos del hogar.

■ El secreto de la drácena reside en **no regarla excesivamente, más bien poco.** Si tenemos siempre la tierra húmeda, la planta acumula excesiva agua en sus raíces y, en consecuencia, aparecen los problemas de amarilleamiento y decaimiento de las hojas, con posible pudrición del tronco. Es una de las plantas que hay que regar cuando observemos que la tierra del tiesto se ha secado. Entonces se riega copiosamente humedeciendo toda la tierra.

■ Es importante mantenerla con una **temperatura constante y templada a lo largo del año.**

consejos

■ Si dispones de un jardín o una terraza donde no dé el sol directo durante el verano, una forma de revitalizar la drácena es sacarla al exterior sombrío durante los meses de junio, julio, agosto y septiembre, para luego volverla a introducir en casa. Esta **estancia en exterior activa su desarrollo y la vigoriza,** lo que incide positivamente en su crecimiento.

tolera exposiciones no
muy luminosas

las matas poseen tallos
de distintas alturas

las hojas tienden a
arquearse

regar cuando empiece
a secarse la tierra

Origen: Madagascar
Luz: de poco luminoso a muy
luminoso
Temperatura ideal: 16-21 °C
Temperatura mínima: 3-6 °C
Riego: pc. moderado;
pd. dejar secar capa superficial
entre riegos
Fertilización: pc. cada mes;
pd. cada 3 meses

Dracaena
marginata tricolor

67

Drácena bambú

DRACAENA SURCULOSA

■ **La drácena bambú es una elegante planta de interior,** donde se combina por un lado la rusticidad y adaptación de las drácenas al cultivo en interiores con la elegancia del porte y crecimiento tipo bambú propio de esta especie de drácena.

■ Sus hojas tienen una hermosa variegación con dibujos amarillentos que le aportan luminosidad. **Lo novedoso y atractivo de esta especie de drácena está en sus tallos.** Éstos son altos y delgados y emergen desde la base del cepellón, superando en altura al follaje ya establecido. En la coronación de los tallos surgen las hojas que con el peso tienden a arquear los delgados y largos tallos, adquiriendo un porte arqueado parecido al que suelen tener la mayoría de los bambúes.

cuidados

■ La drácena bambú no es excesivamente exigente en cuanto a luz, pero al contrario de otras especies de drácenas, pide algo más de luz. **Colócala cerca de una ventana, pero sin sol directo.** Con el riego pasa lo mismo que con la luz, ya que esta drácena exige más agua que el resto de especies. Por tanto, no dejaremos que la tierra llegue a secarse del todo, y también evitaremos llegar a encharcarla, y cuando veamos que empiezan a emerger los nuevos tallos la abonaremos quincenalmente.

consejos

■ Si habéis optado por esta drácena, y **con el paso de tiempo** observáis que la mata de hojas es tan densa que no se aprecia la emergencia de los nuevos tallos, **os aconsejo que podéis una tercera parte del follaje, eliminando las ramas desde la base.** Al podar la planta, baja la densidad de follaje y por tanto dejamos espacio para poder apreciar el complemento decorativo añadido que supone la emergencia de los tallos.

los nuevos tallos le dan cierta semejanza a un bambú

las hojas tienen dibujos amarillentos, lo que le aporta luminosidad

esta drácena exige el cepellón siempre ligeramente húmedo

Origen: zonas tropicales de África
Luz: de luminoso a muy luminoso, nunca sol directo
Temperatura ideal: 16-21 °C
Temperatura mínima: 3-6 °C
Riego: pc. húmedo; pd. dejar secar capa superficial entre riegos
Fertilización: pc. cada mes; pd. cada 3 meses

Drácena bambú

El asiento de la suegra

ECHINOCACTUS GRUSONII

■ Este cactus tiene una **forma de crecimiento esférica** muy característica, en vez de crecer en altura como muchos otros cactus va adquiriendo una forma esférica perfecta cubierta por duros y largos pinchos.

■ Cultivados en exterior en zonas mediterráneas donde no existe el peligro de heladas invernales adquieren medio metro de altura y **agrupados crean conjuntos muy decorativos** de gran impacto, como por ejemplo los existentes en el jardín de cactus del Huerto del Cura de Elche.

■ Son unas plantas **muy adecuadas para interiores** cuando disponemos de ubicaciones soleadas o muy luminosas en nuestras casas, pues es de las pocas plantas que agradece la atmósfera seca que dejan las calefacciones.

cuidados

■ A la hora de cultivar un asiento de la suegra en interior **le debemos reservar el lugar más soleado y luminoso de nuestra casa.** Cuanto más cerca esté de una ventana, donde dé el sol con más intensidad, mejor crecerá el asiento de la suegra. Si carece de suficiente luz, este cactus no se desarrollará debidamente y su crecimiento se verá estancado.

■ Otro aspecto importante es el riego. **El mayor enemigo de los cactus es el exceso de humedad,** que provocará la podredumbre parcial y total de los mismos. Aunque requiera poco agua, ésta es necesaria durante su periodo de crecimiento y con un riego mensual abundante, dejando que el exceso de agua drene bien será suficiente. Es importante incluir abono de cactus en el agua de riego durante los meses de verano, que coinciden con los del crecimiento.

consejos

■ Los cactus no desarrollan un gran número de raíces, por lo que es **aconsejable plantar el cactus desde el inicio en un tiesto de barro** acorde con la decoración de la casa y dejarlo crecer en el mismo recipiente sin necesidad de futuros trasplantes.

■ Una forma de **estimular el crecimiento** de este cactus es **sacándolo a un balcón orientado al sur durante los meses de verano.** Esto vigoriza el crecimiento del cactus y le aportará longevidad.

cuanta más luz y sol
directo, mejor crece

los pinchos pinchan
con ganas

la tierra ha de secarse
entre riegos

el tiesto no tiene por
qué ser grande

Origen: México, zonas desérticas
Luz: muy luminoso, también sol
directo
Temperatura ideal: 16-21 °C
Temperatura mínima: 3-6 °C
Riego: pc. moderado; pd. dejar
secar capa superficial entre riegos
Fertilización: pc. cada mes;
pd. cada 3 meses

El asiento
de la suegra

Pseudocactus

EUPHORBIA PSEUDOCACTUS

■ Esta **espectacular y escultural planta,** aunque lo parezca, en realidad no es un cactus. Se trata de una planta suculenta que pertenece al género de las euforbias que han sabido adaptarse a infinidad de condiciones climáticas por todo el planeta.

■ La *Euphorbia pseudocactus* en concreto es originaria de lugares desérticos y por tanto ha hecho suya la capacidad inherente a los cactus de engrosar el tallo para que actúe a modo de reserva de agua. También ha transformado sus hojas en espinas puntiagudas para protegerse de los depredadores. Si se realiza un corte en el tallo se observa cómo sale el característico látex irritante de las euforbias.

■ Se trata de una planta que **puede alcanzar gran tamaño,** por lo que tendremos que destinarle un lugar muy espacioso dentro de la casa para que la característica y natural forma de candelabro de esta euforbia luzca todo su potencial escultórico.

cuidados

■ **Es exigente en cuanto a luz,** por lo que la colocaremos cerca de una ventana amplia y soleada. El sol directo también lo tolera. Si tiene poca luz verás que el crecimiento nuevo es más fino y estrecho que el preexistente. Esta es una señal para destinarle un lugar más luminoso.

■ **Los riegos serán moderados,** dejando secar el sustrato entre riego y riego y añadiendo abono para cactus al agua del riego durante la primavera.

consejos

■ Al estar todos los tallos repletos de agua, **la planta posee gran peso, por lo que resulta aparatoso manipularla.** Pide ayuda para moverla, ya que si se cayese se quebraría perdiendo parte de los tallos y afeándose su aspecto escultural. Colócala en un tiesto pesado de barro y decora la parte superior del sustrato con cantos rodados. Esta decoración queda muy elegante en todas las plantas crasas y suculentas.

puntualmente aparecen las típicas flores de las euforbias

la forma de candelabro ofrece amplias posibilidades decorativas

riega cuando el sustrato se seque

Origen: Sudáfrica, zonas desérticas
Luz: muy luminoso, también sol directo
Temperatura ideal: 16/21 °C
Temperatura mínima: 3/6 °C
Riego: pc. moderado; pd. dejar secar capa superficial entre riegos
Fertilización: pc. cada mes; pd. cada 3 meses

Pseudocactus

73

Ficus benjamina

FICUS BENJAMINA

■ El *Ficus benjamina* es un árbol de gran porte, con hojas brillantes de pequeño tamaño, que **se adapta perfectamente al cultivo en interior.** Como planta de interior es muy común y fácil de cultivar. Hoy en día existen muchas variedades de *Ficus benjamina* con hojas de colores y matices distintos y también se suelen trenzar o realizar formas curiosas uniendo los tallos de estos ficus. El tronco trenzado o esculpido añade por tanto interés ornamental a su verde y luminoso follaje.

■ Según va creciendo el ficus, si vemos que va quedando fuera de escala en su emplazamiento optaremos por pinzar o podar los tallos más largos, provocando la aparición de nuevos brotes que aportan densidad y brillo a la planta.

cuidados

■ Es una planta exigente en cuanto a luz, por lo que le destinaremos **un lugar luminoso dentro de la casa.** La falta de luz puede provocar la pérdida de hojas, pero una vez superado el cambio emitirá nuevas hojas más adaptadas a situaciones algo más sombrías.

■ **Los riegos serán generosos durante el crecimiento y se reducirán durante el invierno.** Hay que evitar encharcar la tierra y también que ésta se seque completamente, ya que ambos extremos también inciden en la caída de las hojas.

consejos

■ Para mantener el color brillante y sano de las hojas es importante **abonar la planta cada 15 días durante el período de crecimiento,** incorporando abono líquido en el agua del riego, según la dosis indicada en el producto. Esto contribuye a activar el verdor de las hojas.

aguanta exposiciones no muy luminosas pero prefiere la luz tamizada

cuanta más luz, mayor densidad de follaje

los tallos se curvan y trenzan en vivero, lo que le da presencia escultórica

riega generosamente durante el periodo de crecimiento

Origen: zonas tropicales de Asia
Luz: muy luminoso, algo de sol directo
Temperatura ideal: 16-21 ºC
Temperatura mínima: 3-6 ºC
Riego: pc. moderado; pd. dejar secar capa superficial entre riegos
Fertilización: pc. cada 3 semanas; pd. cada 2 meses

Ficus benjamina

Ficus bonsái

FICUS MICROCARPA

■ El *Ficus microcarpa* **es un árbol de gran envergadura,** caracterizado por poseer hojas pequeñas, redondeadas y de color verde oscuro, y por tender a ramificar mucho.

■ Este crecimiento denso y contenido unido al pequeño tamaño de las hojas hace que sea **habitualmente vendido como si de un bonsái se tratase.** En realidad, estas plantas son cultivadas en tierra directamente, potenciando un enraizamiento y formación de tronco de base retorcido, para luego trasplantarlas tras una severa poda, dejando exclusivamente la parte de las raíces y la base del tronco. Del punto de donde se ha cortado el tallo original aparecen nuevos brotes que van ramificando hasta obtener el aspecto de bonsái deseado.

■ Se venden en **macetas anchas y bajas,** y hasta pasados varios años no exige ser trasplantado.

cuidados

■ **Exige un entorno luminoso, sin sol directo,** aunque puede soportar zonas con poca luz. Los nuevos brotes en estas condiciones serán largos y débiles, desluciendo la compacidad exigida a este ficus que actúa como un gran bonsái.

■ **Los riegos deben ser moderados,** no dejando que la tierra se llegue a secar del todo, pero sin encharcarla.

■ En primavera añadiremos abono de crecimiento al agua de riego. **Agradece ser pulverizado** ya que con mayor humedad ambiental más se activa el crecimiento de las raíces aéreas.

consejos

■ Al igual que muchos ficus, el microcarpa **crea unas raicillas aéreas que nosotros podemos guiar dándoles diversas formas** con la ayuda de soportes, hasta que tocan tierra. Una vez en tierra, la fina raíz empieza a engordar, y dependiendo de la forma que le hayamos dado, estaremos potenciando el interés estético de la base del tronco de este seudobonsái.

■ Con el paso de los años, estando cultivado en una maceta pequeña, podremos considerarlo un verdadero bonsái.

hay que podar y pinzar los brotes para potenciar la densidad de mata

pulveriza el follaje puntualmente

es propenso a crear raíces aéreas

Origen: zonas tropicales de Asia
Luz: muy luminoso, algo de sol directo
Temperatura ideal: 16-21 °C
Temperatura mínima: 3-6 °C
Riego: pc. moderado; pd. dejar secar capa superficial entre riegos
Fertilización: pc. cada 3 semanas; pd. cada 2 meses

Ficus bonsái

Nolina

NOLINA LONGIFOLIA

■ La nolina, al igual que la pata de elefante, es originaria del desierto mexicano, donde crece creando ejemplares que superan el metro y medio de altura. La base del tallo también actúa como reserva de agua, engrosándose y adquiriendo una forma esférica propia de la nolina. De este tallo esférico salen sus elegantes, finas y largas hojas que tienden a arquearse dándole a la planta un aspecto de palmerita muy original y decorativa. Se suelen vender en tamaños pequeños, individualmente o agrupando tres pequeños individuos en un mismo tiesto.

■ Su **pequeño tamaño** la convierte en una espléndida planta escultural para ser colocada sobre una mesita de salón o en el rincón que más nos apetezca.

■ **Es fácil de cultivar y es la única planta de interior que nos ofrece un tronco casi esférico,** un complemento de indiscutible potencia.

cuidados

■ El origen desértico de la nolina delata los cuidados que va a requerir para crecer contenta. Por un lado, **mucha luz,** incluso llegando a soportar puntualmente el sol directo a través de la ventana. En condiciones de luz moderada también sobrevive, aunque se ralentice su desarrollo.

■ Por otro lado, **hay que regarla moderadamente** dejando secar parcialmente el sustrato entre riego y riego. Tolera condiciones de sequedad ambiental, por lo que no exige ser pulverizada con agua.

consejos

■ La nolina es una planta perfecta para colocarla sobre una mesita de salón. Sus largas y arqueadas hojas ocupan bastante espacio y demandan un lugar despejado para lucir todo su potencial escultural. **No exige ser trasplantada a un tiesto grande** y, al igual que con la drácena, para su trasplante optaremos por un tiesto de barro ancho y bajo ligeramente mayor en tamaño al original.

demanda mucha luz,
incluso sol directo

el tallo es una reserva de
agua de forma esférica

no exige ser
trasplantada

Origen: México, zonas
desérticas
Luz: muy luminoso, algo de sol
directo
Temperatura ideal: 16-21 °C
Temperatura mínima: 3-6 °C
Riego: pc. moderado; pd. dejar
secar capa superficial entre
riegos
Fertilización: pc. cada mes;
pd. cada 3 meses

Nolina

Pachira acuática

PACHYRA ACUATICA

■ La pachira es una planta originaria de la América tropical que **recientemente ha sido introducida en el mercado de las plantas de interior** por lo fácil que resulta cultivarla y por su elegante follaje verde, aunque lo que realmente aporta elegancia a la pachira es el habitual trenzado del tronco con el que se suele vender.

■ **Los troncos trenzados de la pachira son consecuencia del cultivo simultáneo de tres plantitas** que, según van creciendo sus tallos, se van trenzando y éstas crecen jerárquicamente engrosando la base del tallo y quedando la parte superior más fina. Este trenzado y crecimiento jerárquico confiere a la pachira un aspecto indudablemente escultórico, lo que complementa de forma espectacular el follaje de gran tamaño propio de la pachira.

■ El trenzado típico de la pachira se realiza en ejemplares de todos los tamaños y es una práctica que uno mismo puede seguir realizando según va creciendo la planta.

cuidados

■ Es una planta muy fácil de cultivar. **Le destinaremos un lugar junto a una ventana,** ya que requiere bastante luz para su correcto desarrollo. Si no tiene suficiente luz observarás que sus nuevos tallos son finos y muy alargados, buscando la luz. Si os ocurre esto, ya sabes que la tendrás que colocar en un lugar más luminoso.

■ **Los riegos han de ser regulares,** evitando los encharcamientos pero no dejando que la tierra llegue a secarse del todo. También es importante dejar que el agua excedente del riego drene bien, y retirarla para evitar posibles podredumbres de tallos producidas por exceso de riego.

consejos

■ Cuando la pachira está a gusto enseguida empieza a crear nuevas hojas y tallos. **Si estos nuevos tallos llegan a ser muy largos** observaremos que la planta no podrá mantenerlos erguidos y tenderá a desfigurarse. Cuando esto ocurre es **aconsejable podar** los nuevos tallos a un tercio de su tamaño. Tras la poda, la planta quedará un tanto despoblada de hojas, pero pronto creará nuevos tallos que aportarán la frondosidad y densidad deseadas. El mejor momento para hacer esta operación es a principios de primavera, antes del comienzo del periodo de crecimiento de la planta.

cuanta más luz, mejor crece

si los tallos nuevos crecen
demasiado es aconsejable
podarlos

el trenzado confiere
cualidades escultóricas

los tallos son más
gruesos en la base

mantén el sustrato
siempre húmedo,
pero sin encharcar

Origen: América tropical
Luz: muy luminoso
Temperatura ideal: 18-21 °C
Temperatura mínima: 5-7 °C
Riego: pc. húmedo;
pd. húmedo
Fertilización: pc. cada mes;
pd. cada 3 meses

Pachira
acuática

Cuernos de alce

PLATYCERIUM BIFURCATUM

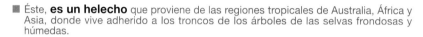

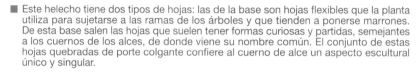

■ Éste, **es un helecho** que proviene de las regiones tropicales de Australia, África y Asia, donde vive adherido a los troncos de los árboles de las selvas frondosas y húmedas.

■ Este helecho tiene dos tipos de hojas: las de la base son hojas flexibles que la planta utiliza para sujetarse a las ramas de los árboles y que tienden a ponerse marrones. De esta base salen las hojas que suelen tener formas curiosas y partidas, semejantes a los cuernos de los alces, de donde viene su nombre común. El conjunto de estas hojas quebradas de porte colgante confiere al cuerno de alce un aspecto escultural único y singular.

■ Es una planta epífita que desarrolla su sistema radicular en las horquillas de los árboles y lugares similares, por lo que **apenas posee raíces,** y por tanto **no requiere ser trasplantada** a un tiesto mayor.

cuidados

■ El cuerno de alce no requiere un exceso de luz, pero **exige un mínimo de luminosidad** para asegurar un buen desarrollo.

■ Lo más importante para que el cuerno de alce sobreviva es **aportarle la suficiente humedad ambiental,** para lo que debemos pulverizar sus hojas con agua tibia casi a diario. Los riegos se limitan a una vez cada 15 días, cuando procederemos a sumergir este helecho en un barreño o recipiente similar lleno de agua para luego dejar escurrir el excedente y volverlo a colocar en su lugar.

■ El cuerno de alce, una vez que se hace al lugar que le destinamos, crecerá progresivamente creando nuevas hojas que van dotando de un porte colgante a la planta.

consejos

■ Si nos fijamos en las hojas del cuerno de alce veremos que están cubiertos por una fina pelusa blanquecina. Mucha gente asocia esta pelusa a suciedad y procede a eliminarla con una bayeta como si de polvo se tratase. Ésta es una práctica que repercute negativamente en el crecimiento de la planta pudiéndola llegar a matar, por lo que ya sabes que esa **pelusa blanquecina no se debe de tocar.**

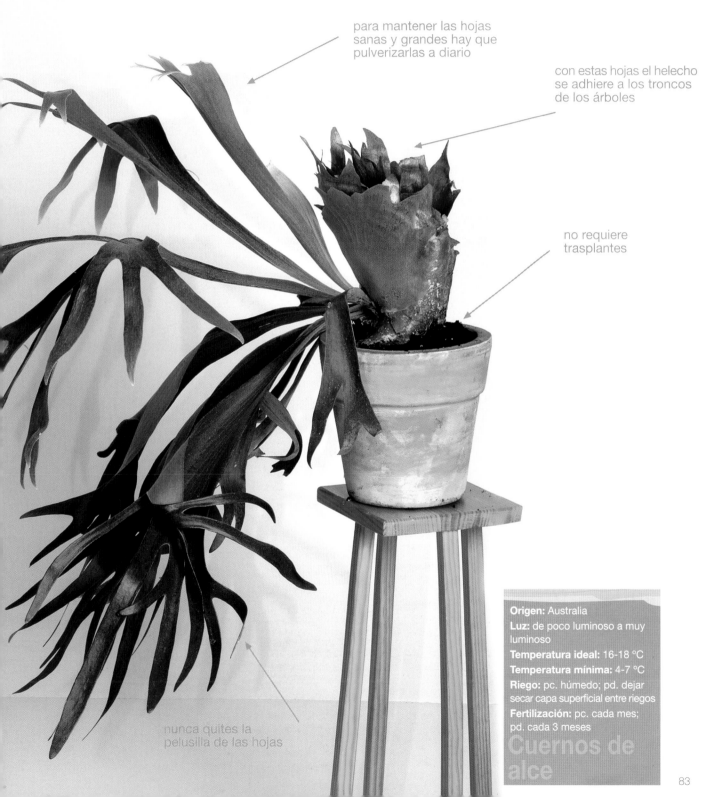

para mantener las hojas
sanas y grandes hay que
pulverizarlas a diario

con estas hojas el helecho
se adhiere a los troncos
de los árboles

no requiere
trasplantes

nunca quites la
pelusilla de las hojas

Origen: Australia
Luz: de poco luminoso a muy
luminoso
Temperatura ideal: 16-18 °C
Temperatura mínima: 4-7 °C
Riego: pc. húmedo; pd. dejar
secar capa superficial entre riegos
Fertilización: pc. cada mes;
pd. cada 3 meses
Cuernos de
alce

83

Yuca

YUCCA ELEPHANTIPES

■ La *Yucca elephantipes* es **un arbusto resistente a la sequía que no tolera las bajas temperaturas excesivas,** caracterizado por poseer unos tallos erguidos y gruesos, y hojas verdes rígidas y resistentes.

■ Normalmente las yucas, como plantas de interior, se cultivan introduciendo varios tallos de distintas alturas en un contenedor. De la coronación de cada tallo surgen dos o tres ramificaciones llenas de hojas que aportan volumen a la composición de troncos de distintas alturas.

■ **Es una planta muy resistente y fácil de cultivar** si se tienen en consideración los cuatro consejos fundamentales para su cuidado.

cuidados

■ Es una planta muy exigente en cuanto a luz. De hecho, **cuanta más luz tenga mejor crecerá,** evitándose los ahilamientos que tienden a desgarbar a las yucas. Es una de las plantas de interior que puede estar directamente expuesta a la acción del sol cerca de una ventana.

■ Los riegos han de ser moderados, pues si se riega en exceso es fácil que se pudran las raíces, lo que en consecuencia provocará el amarilleamiento de las hojas inferiores y su posterior caída. **No requiere ser pulverizada** ya que sus rígidas hojas toleran muy bien los ambientes secos.

consejos

■ Para evitar que nuestra yuca crezca excesivamente generando largos tallos caídos en busca de la luz, **hemos de colocarla en un lugar muy luminoso, a ser posible con sol directo,** independientemente de la temperatura, ya que aguanta muy bien tanto el frío como el calor.

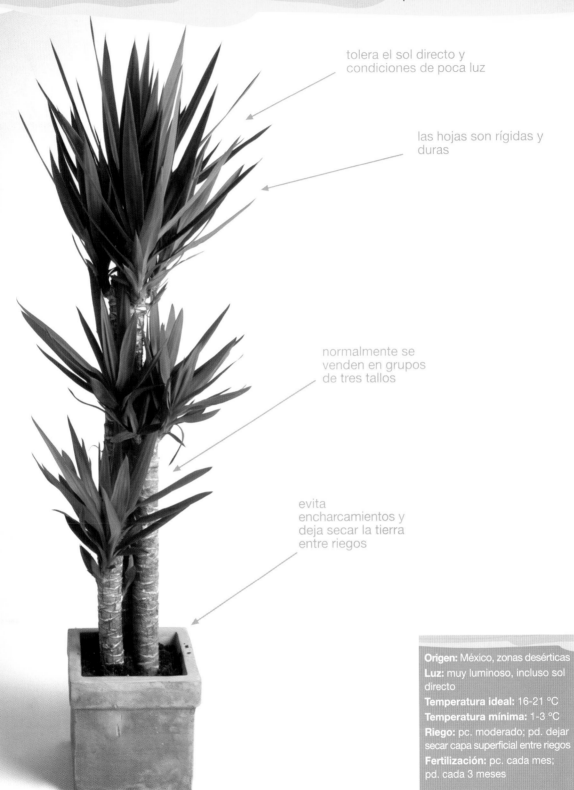

tolera el sol directo y condiciones de poca luz

las hojas son rígidas y duras

normalmente se venden en grupos de tres tallos

evita encharcamientos y deja secar la tierra entre riegos

Origen: México, zonas desérticas
Luz: muy luminoso, incluso sol directo
Temperatura ideal: 16-21 ºC
Temperatura mínima: 1-3 ºC
Riego: pc. moderado; pd. dejar secar capa superficial entre riegos
Fertilización: pc. cada mes; pd. cada 3 meses

Yuca

plantas resplandecientes y fugaces

Las flores son la parte reproductora de la plantas. En ellas encontramos el pistilo (órgano femenino) y los estambres productores de polen (órgano masculino), generalmente rodeados por llamativos y coloristas pétalos. La supervivencia de la planta depende entre otros factores de su capacidad reproductora, y para asegurarse una correcta polinización las plantas crean bonitas flores para cautivar a los insectos y que éstos les ayuden en la polinización: las flores no están para deleitarnos a los seres humanos, pero ante el ingenio y belleza propios de las flores todos nos quedamos cautivados. Consideremos por tanto que las flores son un regalo para la vista con el que la Naturaleza nos puede llenar de felicidad.

Dentro de este capítulo hemos agrupado aquellas plantas llenas de flores como las prímulas, el ciclamen, el amarilis... Todas tienen en común una abundante y colorista floración de entre uno y dos meses de duración. Transcurrido este tiempo muchas de estas plantas tienden a decaer y otras simplemente vegetan hasta la siguiente floración.

A pesar de su corto período de floración, es tal la belleza que nos brindan que no debemos de dudar en obtener una de estas plantas en cada temporada. Es una forma sencilla y barata de llenarte de felicidad.

Por cierto, para que dure más la floración procura comprar las plantas con la mayoría de los capullos de flor cerrados y colócalas en lugares frescos de la casa. Todas las plantas que presentamos tienen bien descritos sus cuidados para lograr el máximo tiempo de floración.

plantas resplandecientes y fugaces

Alegría de la casa

IMPATIENS WALLERANA

■ Son muchos los hogares que aún hoy en día mantienen la costumbre de tener una alegría de la casa entre el resto de las plantas de interior, y la verdad es que esta planta hace honor a su nombre ya que alegra nuestro hogar con su incesante floración.

■ Es **muy fácil de cultivar, muy agradecida** y continuamente está produciendo nuevas flores, es tan florífera que alegra todos los rincones donde se coloca. Es una planta muy utilizada en jardinería exterior y existen infinidad de variedades con portes y colores de flor distintos, la mayoría en tonos pasteles.

■ Para el cultivo en interior me decanto por la alegría de la casa *Impatiens wallerana* "Mini", con flores muy pequeñitas y de crecimiento contenido, que no supera los 25 cm de altura. Otra opción es la alegría de la casa de flor doble cuyas flores son más llamativas que las de la alegría de la casa normal.

cuidados

■ Es una planta muy fácil de cultivar. Si se cultiva **en exterior es preferible una exposición semisombría,** evitando el sol directo del mediodía. La podemos cultivar tanto directamente en tierra como en jardineras.

■ Si se cultiva **en interior es importantísimo que la planta tenga mucha luz,** aunque se evitará el sol directo. Si no tiene la suficiente luz, la planta dejará de florecer y crecerá de forma descompensada, creando una mata raquítica y carente de color. **Los riegos,** tanto en interior como en exterior, **han de ser abundantes** ya que las alegrías exigen una tierra que siempre esté húmeda. Por tanto, es importante regarlas regularmente, incluso dejando que el platillo de la base del tiesto retenga el agua entre riego y riego.

consejos

■ Las alegrías son muy vigorosas y enseguida agotan los nutrientes disponibles en el sustrato. **La falta de abono hará que la planta amarillée** las hojas y que reduzca considerablemente la creación de nuevas flores. Transcurrido un mes desde que trasplantamos la alegría procederemos a abonarla semanalmente con un abono líquido de floración que se mezcla con el agua del riego. Este abonado continuado hará que la alegría no deje de florecer, alegrándonos con un manto de flores continuo.

en interior demanda mucha luz, pero no sol directo

la tierra siempre ha de estar húmeda

abónalas cada semana con abono de floración

Origen: zonas tropicales y subtropicales

Luz: muy luminoso si queremos que florezca

Temperatura ideal: 16-21 ºC

Temperatura mínima: 4-7 ºC

Riego: abundante, evitar encharcamiento

Fertilización: pc. cada 3 semanas; pd. cada 2 meses

Alegría de la casa

89

Alegría guineana

IMPATIENS WALLERANA PETERSIANA

■ Las alegrías guineanas **son las plantas de temporada que más aguantan en plena floración dentro de un hogar** durante la temporada de verano. Hay gran surtido de variedades, con follajes y floraciones en diversos colores. La hojas, ya de por sí pueden ser decorativas por su tamaño y color granate en la base, y las flores son de gran tamaño, existiendo una amplia gama de colores muy llamativos. Tiene un crecimiento bastante compacto, y tiende a crear matas semiesféricas densas repletas de flores.

■ Se puede cultivar en un interior o en una terraza o balcón al abrigo de un sol excesivo, y ofrece posibilidades de ser combinada con otros tipos de alegrías de la casa.

cuidados

■ **Los cuidados son bien sencillos.** Al tratarse de una planta de ciclo estival, al adquirirla en primavera la trasplantaremos a un recipiente con suficiente tamaño y la colocaremos en una terraza o balcón al abrigo del sol directo del mediodía.

■ **Los riegos han de ser abundantes y nunca dejaremos que el sustrato llegue a secarse del todo.** Un consejo es colocar platos en la base de los tiestos y asegurarnos de que nunca falte agua en ellos. El sol directo del mediodía y la falta de humedad en la tierra son los principales enemigos de las alegrías guineanas.

■ Puntualmente podremos meter la planta en el salón o cocina con el fin de crear una decoración puntual, pero **si queremos que no cese de florecer es mejor cultivarla en exterior,** añadiéndole al agua de riego abono de floración una vez a la semana.

consejos

■ **En otoño,** antes de que el viento y el frío marchiten la alegría guineana, **la podremos meter dentro de casa y colocarla junto a una ventana muy luminosa.** Si hay suficiente luz la planta seguirá creciendo y floreciendo durante el invierno, pudiéndola esquejar a finales de primavera para multiplicarla y comenzar la siguiente temporada con plantas producidas por uno mismo.

para potenciar una
abundante floración,
abónala con abono de
floración cada semana

necesita mucha luz,
pero no sol directo

el sustrato siempre
húmedo, pero sin
encharcarlo

Origen: zonas tropicales y
subtropicales
Luz: muy luminoso si queremos
que florezca
Temperatura ideal: 16-21 ºC
Temperatura mínima: 4-7 ºC
Riego: abundante, evitar
encharcamiento
Fertilización: pc. cada 3
semanas; pd. cada 2 meses
Alegría
guineana

91

Cineraria

CINERARIA

■ La cineraria es una planta de temporada que **alcanza su apogeo floral al inicio de primavera.** Su siembra se realiza a finales de verano y las plantitas van creciendo durante el invierno, generando cada vez hojas de mayor tamaño. En el centro de la roseta aparece una gran inflorescencia compuesta por infinidad de flores tipo margarita.

■ Cuando todas las flores se abren, la cineraria resulta muy llamativa por la intensidad de color que suelen tener las distintas variedades. Hay variedades con floraciones muy densas y otras menos densas pero con flores de mayor tamaño. A un buen amante de plantas no le pasará desapercibida una planta tan generosa, y año tras año se agenciará un ejemplar para adornar y alegrar la casa a comienzos de primavera.

cuidados

■ Se trata de una planta de temporada que **con la llegada de los calores termina su floración y muere.** Para prolongar su floración resulta necesario conseguir ejemplares que posean el máximo de flores cerradas.

■ Si la colocamos en un lugar muy caluroso, las flores se abrirán enseguida y tendrán una duración muy corta. Sin embargo, si le destinamos un lugar fresco, como un porche al resguardo de los últimos fríos invernales, veremos cómo su floración se alarga durante dos meses aproximadamente.

■ **Es importante no descuidar los riegos,** ya que una falta de agua prolongada marchitará las hojas y provocará la caída de los capullos de flor, acortando considerablemente su floración.

consejos

■ **Es importante colocarla en un lugar fresco pero al resguardo de la lluvia y posibles heladas,** y, por tanto, la podremos combinar con plantas que requieran los mismos cuidados, como las prímulas, ciclámenes, bulbos de narcisos, jacintos… para crear una composición llena de color que nos anuncie una entrada de primavera alegre y colorista.

las flores se marchitan
rápidamente si hace demasiado
calor (superior a 15 °C), si tienen
exceso de sol, o por falta de riego

cuando se marchiten las
flores, desecha la planta

las corrientes de aire frío dejan
las hojas mustias, anunciando
la muerte de la planta

le gusta el sustrato
ligeramente húmedo,
nunca encharcado

no hace falta trasplantarlas, pero
si lo haces, utiliza sustrato a base
de turba

sitúala en un lugar con mucha
luz, evitando el sol directo

Origen: híbrido
Luz: de luminoso a muy
luminoso, nunca sol directo
Temperatura ideal: 16-21 °C
Temperatura mínima: 4-7 °C
Riego: dejar secar capa
superficial entre riegos
Fertilización: pc. cada 3
semanas; pd. cada 2 meses

Cineraria

Cyclamen

CYCLAMEN

■ El ciclamen es una planta bulbosa originaria de los bosques mediterráneos, donde crece a la sombra de los árboles durante el invierno. Con los primeros calores se marchitan las hojas y el bulbo queda latente en el suelo hasta el otoño siguiente. **Es una planta de ciclo invernal,** por lo que podremos deducir que el exceso de calor y sol son mortales para el ciclamen.

■ El ciclamen es una planta que **puede cultivarse tanto en interior como en exterior** siempre que se proteja de las lluvias y heladas.

■ Atendiendo a los cuidados básicos, **el ciclamen puede estar en plena floración durante todo el invierno.** Existen distintas variedades de ciclamen dependiendo del tamaño que alcancen, pudiendo encontrar unos realmente pequeños y progresivamente mayores, con hojas y flores de distintos tamaños.

cuidados

■ Una vez seleccionado, un ciclamen sano sin síntomas de podredumbre y repleto de nuevos tallos florales, **le destinaremos un lugar en nuestro hogar muy luminoso,** evitando las zonas con más calor de la casa, ya que el exceso de calor hace que la planta finalice su ciclo antes, reduciéndose la vida ornamental del ciclamen.

■ **El riego ha de ser moderado,** ya que un exceso de humedad en la tierra provocará podredumbres en el bulbo y tallos, lo que supondrá un decaimiento irreversible. Si se deja secar la tierra, el ciclamen quedará mustio por deshidratación, por lo que lo ideal es mantener el sustrato siempre húmedo, pero eliminando los excedentes de agua del platillo tras cada riego.

consejos

■ Si quieres que tu ciclamen te dure muchos meses en flor en casa, **evita ponerlo en el lugar más caluroso del hogar** y al atardecer sácalo al exterior, a pie de una ventana o balcón donde esté al abrigo de posibles heladas o lluvias copiosas. Si no quieres realizar esta acción a diario, durará más si lo dejamos en un exterior al resguardo y lo metemos en casa en ocasiones especiales.

Tras la floración, la mata entera se marchita y en la tierra queda un bulbo que podría reservarse y guardarse para volver a plantarlo en otoño, aunque esta práctica no suele dar muy buenos resultados.

les conviene mucha luz, pero
nunca sol directo, lo ideal es
una ventana orientada al norte

elige plantas con muchos
capullos por abrir

les gusta los sitios frescos, entre
10-15 °C, evitando habitaciones
cálidas que acortan su vida

mantén el sustrato húmedo,
regando por inmersión y evitando
tanto el encharcamiento como
mojar el tubérculo

Origen: regiones mediterráneas
orientales
Luz: de luminoso a muy luminoso
Temperatura ideal: 13-18 °C
Temperatura mínima: 0-2 °C
Riego: pc. moderado; pd. dejar
secar capa superficial entre
riegos
Fertilización: pc. cada mes;
pd. cada 3 meses

Cyclamen

95

Amarilis

HIPPEASTRUM X ACKERMANNII

■ El amarilis es una planta bulbosa elegante donde las haya, compuesta por un gran bulbo del que salen uno o dos tallos florales antes de que comiencen a aparecer las hojas. **Los tallos de flor son gruesos y en su coronación surgen tres o cuatro flores** en forma de trompeta normalmente rojas, aunque hay distintas variedades con colores blanco, rosa y distintos matices rojo-blanquecinos.

■ **Podemos comprar la planta ya en flor** o si somos amantes de la jardinería podemos **comprar un bulbo** y cultivarlo en tierra, enterrando exclusivamente la mitad inferior del bulbo y dejando la otra mitad visible al aire. En poco tiempo comenzarán a salir los tallos de flor. La mata de hojas que queda tras la floración está compuesta por hojas alargadas que se arquean pero carece de interés decorativo.

cuidados

■ Procura **comprar un ejemplar que tenga el mayor número de flores todavía cerradas** ya que de esta forma conseguirás alargar la floración. Cuando la planta está en flor no exige un lugar luminoso, pudiéndola colocar en cualquier rincón de la casa, pero si la ubicas en un lugar fresco la floración durará más tiempo.

■ **Durante la floración hay que mantener la tierra húmeda** sin encharcamientos, y tras la floración abona periódicamente el amarilis para activar el crecimiento vigoroso de sus hojas.

consejos

■ **Bien cuidada, la flor durará más de un mes** y transcurrido este tiempo aconsejo trasplantar el bulbo a un tiesto mayor y sacarlo a un rincón del balcón. Las nuevas hojas crecerán y, si las mimamos, con un buen abono y riegos periódicos, para el invierno siguiente habrá engordado, creando un bulbo de gran tamaño que volverá a florecer año tras año.

evita mover mucho la
planta para que no se
caigan los capullos de
flor

durante la floración
mantén la tierra
húmeda

Origen: Centroamérica y
Sudamérica
Luz: muy luminoso, algo de sol
directo
Temperatura ideal: 13-18 °C
Temperatura mínima: 3-7 °C
Riego: pc. moderado; pd. dejar
de regar
Fertilización: pc. cada 3
semanas; pd. cada 2 meses

Amarilis

Jacinto

HYACINTHUS ORIENTALIS

■ Los jacintos son plantas bulbosas que **se caracterizan por la espectacular fragancia de sus flores.** Las flores son compactos racimos de pequeñas florecillas y existe una amplia gama de colores disponibles. Tradicionalmente, el jacinto, además de como una planta bulbosa de jardín, se ha cultivado en interior, colocando el bulbo sobre un recipiente con agua. El bulbo comienza a enraizar, le salen hojas y en el centro de la roseta de hojas aparece la compacta flor.

■ Hoy en día es habitual encontrar plantitas de jacinto cultivadas en pequeños tiestos y comenzando a florecer durante los meses de invierno y comienzos de primavera, y si uno es amante de las flores no podrá resistirse a la cautivadora elegancia y fragancia de estas plantas bulbosas.

cuidados

■ Partimos de que **el jacinto no nos va a durar mucho tiempo** en flor, pero unos cuidados correctos harán que la floración se alargue durante unas cuantas semanas. Lo primero que hay que considerar es cómo comprar la plantita de jacinto. Si ésta ya está con toda la flor abierta, obviamente una vez en casa su duración será breve, por tanto es importante adquirir ejemplares donde la flor esté empezando a abrirse.

■ Una vez en casa, si **la colocamos en un lugar fresco del hogar y no muy luminoso** conseguiremos que la flor se vaya abriendo lentamente, y por lo tanto dure más. También es importante asegurarnos de que nunca le falte agua, por lo que colocaremos el tiesto en un platillo donde no falte ésta.

consejos

■ El bulbo del jacinto no se naturaliza tan bien como el del narciso, pero **si tras la floración queremos salvar la planta, la trasplantaremos a un tiesto mayor con un sustrato bien abonado** y lo colocaremos en la terraza, balcón o ventana. Las hojas seguirán creciendo y cuanto más grandes y verdes sean éstas, más garantías tendremos de que el bulbo que queda bajo tierra alcance el tamaño suficiente para que al año siguiente nos sorprenda con una o dos flores nuevas.

el aroma de sus flores es
intenso y agradable

urante la
oración mantén
tierra húmeda

tras la floración se puede
plantar en el jardín

Origen: híbrido
Luz: de luminoso a muy luminoso
Temperatura ideal: 15-17 °C
Temperatura mínima: 1-3 °C
Riego: pc. moderado; pd. dejar
de regar
Fertilización: pc. cada 3
semanas; pd. cada 2 meses

Jacinto

Hortensia

HYDRANGEA MACROPHYLLA

■ Las hortensias **son los arbustos de exterior más floríferos y agradecidos de la cornisa cantábrica.** Requieren entornos sombríos y frescos y la tierra ha de ser ácida y estar continuamente húmeda.

■ Las flores de la hortensia, tanto en sus variedades azules, rojas, rosas o blancas, son tan llamativas que esta planta es forzada en invernaderos y puesta a la venta en primavera llena de flores a modo de planta de interior.

■ **El color de las flores depende de las distintas variedades** y, por ejemplo, una variedad roja o blanca nunca podrá dar flores azules. Puede ocurrir que una variedad azul, por no tener tierra ácida, produzca flores rosas. En este caso, añadiendo a la tierra hierro en forma de quelato asimilable por la planta conseguiremos que aflore el color original de la variedad, es decir, el azul.

cuidados

■ **Requiere lugares frescos,** ya que las altas temperaturas la deshidratan con facilidad y hacen que su floración sea más corta, por lo que resulta necesario mantener la tierra completamente húmeda. Nunca ha de faltarle agua en el platillo de la base.

consejos

■ Una vez **pasada la floración en interior, poda las flores marchitas y trasplanta la mata a un tiesto de barro** utilizando un sustrato para plantas de tierra ácida. Sácala al exterior después de la floración en verano, a un entorno fresco y sombrío, abónala y en un par de meses volverá a florecer.

mantén siempre la
tierra húmeda

tras la floración cultívala
en exterior, en posición
sombría

al trasplantarla utiliza
tierra ácida

Origen: Japón
Luz: de luminoso a muy
luminoso, nunca sol directo
Temperatura ideal: 13-17 °C
Temperatura mínima: 0-3 °C
Riego: abundante, evitar
encharcamiento
Fertilización: pc. cada 3
semanas; pd. cada 2 meses

Hortensia

Narciso

NARCISSUS

■ Los narcisos son plantas bulbosas que **florecen a finales de invierno.** Poseen unas características flores en forma de trompeta, principalmente amarillas, aunque también hay variedades blancas y anaranjadas. Su cultivo se realiza plantando los bulbos en tierra en otoño. Enseguida empiezan a enraizar y a emerger las nuevas hojas, y transcurrido un tiempo aparecen las flores.

■ Hoy en día es habitual durante los meses de invierno encontrar narcisos cultivados ya en flor para utilizarlos como complemento decorativo de nuestros hogares. Adquirir una mata de narcisos en tiesto nos asegura una mayor duración de la flor que si recurrimos a comprar un ramo de flor cortada.

cuidados

■ Los cuidados para mantener el máximo tiempo posible floreciendo los narcisos son sencillos. Primero nos aseguramos de adquirir una mata con el mayor número de flores todavía sin abrir. La planta **la colocaremos en un lugar lo más fresco posible,** sin que exista una exigencia excesiva en cuanto a cantidad de luz requerida.

■ Al tiesto que adquirimos, le pondremos un plato en la base y **nos aseguramos de que no le falte agua.** Siguiendo estos cuidados, la mata de narcisos la podemos tener durante un mes aproximadamente.

consejos

■ Tras la floración, si poseemos un jardín podremos trasplantar la mata de narcisos a cualquier rincón del jardín, tanto en un parterre como bajo un árbol. **La planta terminará su ciclo con la desaparición de las hojas en mayo,** pero el bulbo que queda bajo tierra nos asegura una nueva floración anual durante el mes de febrero y marzo, convirtiéndose en una de las plantas que nos indica la llegada de la primavera.

existen muchísimas variedades con flores de tamaños y colores diferentes

el narciso es la planta bulbosa que mejor se naturaliza

tras la floración hay que sacarlos al exterior y plantarlos en el jardín o en un tiesto mayor

Origen: zonas templadas de Europa, Asia y África
Luz: de luminoso a muy luminoso
Temperatura ideal: 15-17 °C
Temperatura mínima: 1-3 °C
Riego: pc. moderado; pd. dejar de regar
Fertilización: pc. cada 3 semanas; pd. cada 2 meses

Narciso

Pachistachis

PACHYSTACHYS SP.

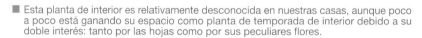

- Esta planta de interior es relativamente desconocida en nuestras casas, aunque poco a poco está ganando su espacio como planta de temporada de interior debido a su doble interés: tanto por las hojas como por sus peculiares flores.

- Sus hojas ovaladas poseen la nervadura matizada en blanco, lo que le da gran vistosidad, y sus flores emergen de una peculiar inflorescencia cónica.

- El mayor atractivo del pachistachis es su **largo periodo de floración, desde finales de primavera hasta otoño,** y lo peculiar de sus flores, que contrastan y aportan un interés singular a esta original planta de interior.

cuidados

- Al pachistachis **le destinaremos un lugar dentro de la casa con mucha luz,** pero evitando el sol directo de verano. Si no tiene suficiente luz dejará de florecer y creará una mata alargada con pocas hojas.

- Hay que **regarla con regularidad,** manteniendo la tierra siempre húmeda pero evitando las acumulaciones de agua en el plato entre riego y riego.

- Para potenciar una mayor floración **es aconsejable añadir abono líquido de floración al agua de riego cada semana.** Si se llega a secar el sustrato, la planta reacciona perdiendo las hojas inferiores, lo que deslucirá considerablemente el atractivo del pachistachis.

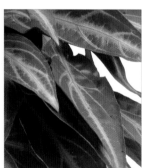

consejos

- Si la hemos regado abundantemente durante el verano, a la entrada del otoño tendremos una mata desarrollada pero que dejará de producir flores. En este caso, **si queremos mantener el pachistachis es aconsejable podar todas las puntas, reduciendo el volumen total de la planta a la mitad.** Con los restos de la poda se pueden hacer esquejes y de los puntos donde se ha podado el pachistachis comenzarán a salir nuevos brotes que aportarán densidad a la planta y quedará preparada para seguir floreciendo la primavera siguiente.

su floración se prolonga
durante varios meses

además de la floración,
sus hojas son muy
decorativas

riégala con regularidad y
con abono de floración
cada 15 días

Origen: zonas tropicales de
América
Luz: de luminoso a muy luminoso,
nunca sol directo
Temperatura ideal: 16-21 °C
Temperatura mínima: 4-7 °C
Riego: pc. húmedo; pd. dejar
secar capa superficial entre riegos
Fertilización: pc. cada 3
semanas; pd. cada 2 meses

Pachistachis

Prímula

PRIMULA OBCONICA

■ La *Primula obconica* es una planta de temporada cuya **floración se centra durante los últimos meses de invierno y principios de primavera.** La planta posee una roseta de hojas semicirculares verdes de cuyo centro emergen las características flores que pueden ser de distintos colores, como el blanco, la gama de los rosas y salmón o azulados. Es una planta muy florífera que puede alegrar y decorar nuestra casa durante varios meses si se atienden sus cuidados básicos.

cuidados

■ Para conseguir una floración lo más duradera posible **es importante conseguir plantas sanas con una o dos flores ya abiertas, pero asegurándonos de que en el centro de la roseta se adivinen nuevos brotes de flor,** lo que garantiza una floración prolongada. Una vez adquirida la planta, le buscaremos un lugar fresco y luminoso del hogar. Si no tenemos un lugar fresco, es aconsejable sacar la planta durante el día al balcón o terraza. De esta forma conseguiremos que la floración sea más pausada y, por tanto, duradera.

■ **Los riegos han de ser abundantes,** no dejando que el sustrato llegue a secarse. Para asegurarnos de que no falta agua colocaremos un plato en la base de la planta donde siempre haya como mínimo un dedo de agua.

■ Siguiendo estos cuidados, la *Primula obconica* nos durará en flor una media de dos meses.

■ Mucha gente ha empezado a cultivar la *Primula obconica* en exterior como planta de jardinera para alegrar los últimos meses de invierno con gran éxito.

consejos

■ Si queremos mantener la prímula año tras año, tras la floración procedemos a trasplantar la mata a un tiesto de mayor tamaño, utilizando un buen sustrato y colocándola en un rincón del balcón o terraza orientada al norte, al abrigo del sol y del calor. Realizando esta acción, la planta vegetará durante el verano, activando su crecimiento con la llegada del invierno y volviendo a florecer a finales del mismo.

cuidado con los jugos de
esta planta pues producen
irritaciones en la piel

después de la floración
colócala en una zona
sombría

el sustrato ha de mantenerse
húmedo excepto en invierno,
cuando permitiremos que se
seque ligeramente entre riegos

no pulverices las hojas
para evitar pudriciones

cuando aparezcan los capullos
hay que abonarla cada 2
semanas con fertilizante para
plantas con flor

le gusta los lugares luminosos,
pero no cálidos, nunca el sol
directo

Origen: Asia
Luz: de luminoso a muy luminoso,
nunca sol directo
Temperatura ideal: 13-17 °C
Temperatura mínima: 3-5 °C
Riego: pc. húmedo; pd. dejar
secar capa superficial entre riegos
Fertilización: pc. cada 3
semanas; pd. cada 2 meses

Prímula

Estreptocarpo

STREPTOCARPUS SP.

■ El estreptocarpo es una pequeña **planta de interior cuyo interés reside principalmente en la belleza de sus flores.** La planta está compuesta por una roseta de hojas largas, nervadas y de porte arqueado, similar al de las prímulas. Estas hojas suelen ser frágiles y tienden a quebrase con facilidad, por lo que manipularemos el estreptocarpo con cuidado para no dañar las hojas.

■ **La flor puede aparecer en cualquier época del año** y está compuesta por un tallo floral en cuya coronación aparecen las llamativas flores con forma de trompeta, siendo los colores más habituales el morado lavanda y el rosa.

■ No crea un gran sistema radicular, por lo que no requiere ser trasplantado, pero para potenciar una prolongada floración **agradece ser abonado mensualmente.**

cuidados

■ El estreptocarpo **agradece lugares con mucha luz infiltrada pero sin sol directo.** La luz es necesaria para activar una prolongada floración. Crece mejor con una temperatura templada y constante.

■ **Los riegos han de ser moderados durante el verano,** no dejando que la tierra llegue a secarse entre riego y riego, pero **durante el invierno reduciremos el riego,** esperando a que la parte superior de la tierra llegue a secarse para volver a regar.

consejos

■ Si el estreptocarpo está contento y tiene suficiente luz, **puede ser que tras la flor aparezca un fruto con forma de espiral donde están guardadas las semillas.** Este fruto quitará fuerza a la planta, por lo que, en cuanto veamos que una planta empieza a marchitarse, quitaremos el fruto desde la base.

■ **Cuidado con las pulverizaciones,** ya que si mojamos las flores éstas pueden deslucirse por la aparición de manchas provocadas por las gotas.

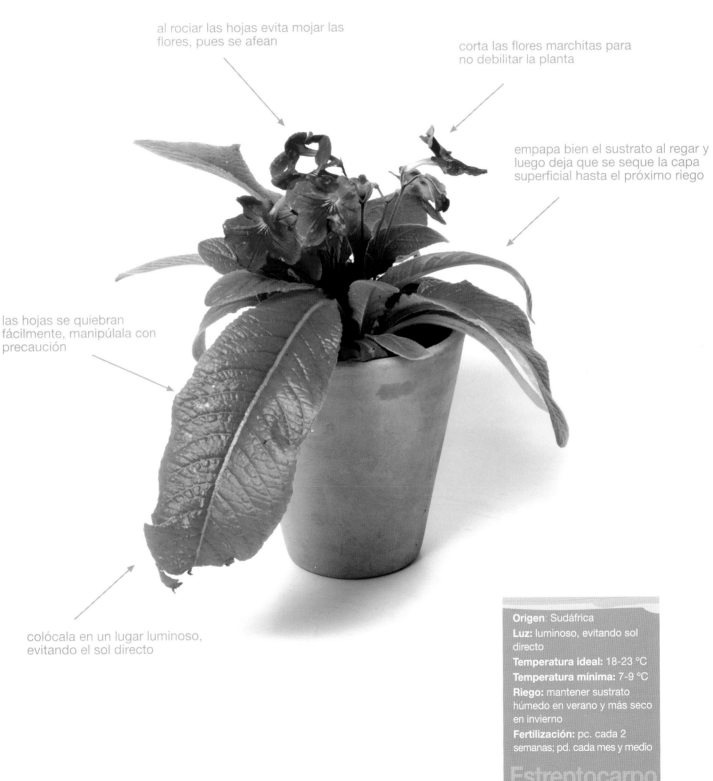

al rociar las hojas evita mojar las flores, pues se afean

corta las flores marchitas para no debilitar la planta

empapa bien el sustrato al regar y luego deja que se seque la capa superficial hasta el próximo riego

las hojas se quiebran fácilmente, manipúlala con precaución

colócala en un lugar luminoso, evitando el sol directo

Origen: Sudáfrica
Luz: luminoso, evitando sol directo
Temperatura ideal: 18-23 °C
Temperatura mínima: 7-9 °C
Riego: mantener sustrato húmedo en verano y más seco en invierno
Fertilización: pc. cada 2 semanas; pd. cada mes y medio

Estreptocarpo

plantas fuertes y resistentes

Mucha gente me suele decir que a ellos todas las plantas se les mueren y que no tienen "manos verdes". Yo siempre les contesto lo mismo: "Si en vez de una planta fuese un perro, ¿se te moriría?".

Lo primero que hay que tener claro es que las plantas son seres vivos y que, por tanto, necesitan comer y beber. Lo que ocurre es que el lenguaje de las plantas tal vez no sea tan directo o fácil de entender como el de los animales, pero no tiene nada de complicado y simplemente necesitamos un poco de paciencia y observación, humildad y un libro como éste para descifrarlo. Una planta nos dirá mustiando las hojas que necesita agua, o nos avisará con un amarilleamiento de las hojas que nos estamos pasando con el agua. Son pequeñas señas que nos lanza la planta, pero hay que estar muy atentos a ellas ya que si no reaccionamos a tiempo es fácil que la planta termine muriendo.

En este capítulo están recogidas las plantas todoterreno. Todas ellas son muy duras, algunas porque viven con poca luz, otras porque apenas sin riego sobreviven…

Si eres de los que dicen tener mala mano con las plantas, o tienes que regarle una planta a una de esas personas, no dudes en seleccionar una de las plantas descritas en este capítulo.

El hecho de que todas las plantas sean verdaderas supervivientes no implica que les guste ser maltratadas o torturadas. Como todo ser vivo fuera de su hábitat natural requerirá cuidados y mimos, agradeciéndolo con creces, ya que con un poco de abono y la dosis correcta de riego darán nuevas y lustrosas hojas.

Seguro que muchas de las plantas que presentamos en este capítulo las conoces, ya que son plantas que gracias a su rusticidad y fortaleza han sido muy utilizadas para vestir patios y portales, y aunque consideremos que están muy vistas, poseen una belleza innata indiscutible.

Aglaonema
AGLAONEMA CRISPUM
>> 112

Drácena
DRACAENA DEREMENSIS
>> 124

Esparraguera
ASPARAGUS DENSIFLORUS "MEYERII"
>> 114

Aralia
FATSIA JAPONICA
>> 126

Aspidistra
ASPIDISTRA ELATIOR
>> 116

Flebodio
PHLEBODIUM AUREUM
>> 128

Camadorea
CHAMAEDOREA ELEGANS
>> 118

Lengua de tigre
SANSEVIERIA TRIFASCIATA "LAURENTII"
>> 130

Cinta naranja
CHLOROPHYTUM "GREEN ORANGE"
>> 120

Singonio
SYNGONIUM PODOPHYLLUM
>> 132

Clivia
CLIVIA MINIATA
>> 122

Zamioculca
ZAMIOCULCA ZAMICIFOLIA
>> 134

Aglaonema

AGLAONEMA CRISPUM

■ La aglaonema es una planta originaria del sudeste asiático, donde crece a la sombra de bosques tupidos y oscuros. La gran resistencia que posee para sobrevivir en lugares poco luminosos ha hecho que la aglaonema adquiera un espacio importante como **planta de interior resistente y fácil de cultivar.**

■ La mata de aglaonema está compuesta por varios individuos con tallos cortos de donde salen unos hojas de tamaño medio alargadas con distintos matices de color verde. **Cada variedad existente crea un dibujo con tonalidades propias,** donde los colores verde y verde grisáceo suelen ser los más habituales.

■ Su resistencia a lugares poco luminosos se contrarresta con su delicadeza ante corrientes de aire frío. **Evita por tanto las corrientes y lugares fríos.**

cuidados

■ La peculiaridad de la aglaonema es su **resistencia a lugares poco luminosos,** por lo que cualquier exposición, evitando siempre el sol directo, le ira bien.

■ **Es exigente en cuanto a cantidad de agua,** y al contrario que otras plantas resistentes, la aglaonema exige un sustrato siempre húmedo. Es una planta de interior, por tanto perfecta para aquellas personas que riegan las plantas en exceso.

consejos

■ El que la aglaonema exija un sustrato siempre húmedo no implica que sea exigente en cuanto a humedad ambiental. De hecho, **no es aconsejable pulverizarla,** ya que las gotas de agua que quedarían en la hoja podrían dar paso a pequeñas manchas marrones irreparables en las hojas.

■ Esta planta **mejora de forma extraordinaria la calidad del aire de nuestros hogares,** limpiándolo de toxinas y produciendo oxígeno puro.

es capaz de desarrollarse en lugares con escasa iluminación, lo que la hace muy interesante

las hojas son tóxicas, así que cuidado con niños o mascotas propensos a comer plantas

rocía las hojas con cierta frecuencia, le gusta la humedad ambiental

le gusta la humedad en el sustrato turboso, especialmente en verano

Origen: sudeste de Asia
Luz: de poco luminoso a luminoso
Temperatura ideal: 16-25 ºC
Temperatura mínima: 7-10 ºC
Riego: pc. moderado; pd. dejar secar capa superficial entre riegos
Fertilización: pc. cada 3 semanas; pd. cada 2 meses

Aglaonema

113

Esparraguera

ASPARAGUS DENSIFLORUS "MEYERII"

■ La familia de las esparragueras es muy amplia y todas las especies poseen un característico follaje fino, denso y de color verde intenso. La variedad "Meyerii" crea hojas de forma cilíndrica y cónica, de follaje compacto muy decorativo.

■ **Es una planta muy resistente** y una peculiaridad son los raíces, donde observamos pequeños bulbos blanquecinos que actúan como reservas de agua. Esta reserva supletoria de agua le da mucha resistencia ante la sequía a la esparraguera.

■ No esperes a la floración de la esparraguera ya que resulta insignificante, pero atendiendo unos mínimos cuidados, los frondes densos y compactos del característico follaje plumoso en forma de conos colgantes serán todo un placer para la vista.

cuidados

■ **Tolera entornos con poca luz, aunque cuanta más tenga mejor se desarrolla.** De hecho, al poseer poca luz las hojas pierden densidad y poco a poco queda desfigurada la característica forma de cono de las hojas. Los riegos han de ser moderados, sin dejar que la tierra se llegue a secar del todo. Puede soportar temporadas sin riego, pero se corre el riesgo de que pierda frondosidad. Es importante abonarla en verano con abono de plantas verdes. El abonado potenciará un mayor desarrollo de las hojas.

consejos

■ Con el paso de los años, el grueso sistema radicular de la esparraguera llegará a saturar el contenedor, por tanto, **cada dos o tres años es necesario realizar un cambio de tiesto,** pasando a uno de mayor tamaño, o realizando una poda de raíces en el caso de que queramos mantener el tiesto original.

exige mucha luz,
incluso sol directo

las hojas adquieren
formas cónicas muy
decorativas

posee raíces gruesas que
actúan como reserva de agua

Origen: Sudáfrica
Luz: de poco luminoso a luminoso
Temperatura ideal: 13-17 ºC
Temperatura mínima: 0-3 ºC
Riego: pc. húmedo; pd. dejar secar capa superficial entre riegos
Fertilización: pc. cada 3 semanas; pd. cada 2 meses

Esparraguera

Aspidistra

ASPIDISTRA ELATIOR

■ Seguro que todos conocéis esta planta ya que se trata seguramente de una de las plantas de interior más habituales. Durante un tiempo dejó de estar de moda, pero ahora, sin duda, ha recobrado el lugar que se merece.

■ Es una planta **súper resistente,** que crece y embellece el rincón al que se le destina, sin apenas requerir cuidados. Sus verdes y alargadas hojas aportan frescura y frondosidad y ofrecen posibilidades decorativas muy particulares.

■ La aspidistra es perfecta para aquellas personas que dicen tener mala mano con las plantas, ya que se trata de una planta extremadamente fuerte.

cuidados

■ Los cuidados son sencillísimos ya que prácticamente crecerá en cualquier lugar, **tolera entornos sombríos con poca luz** y por eso ha sido la planta típica de patios y portales.

■ Evitaremos colocarla al sol directo, y siempre le destinaremos lugares sombríos. El exceso de sol puede amarillear las hojas y provoca raquitismo en el desarrollo de las mismas.

■ **Requiere muy pocos riegos,** pudiendo dejarla largas temporadas sin regar sin que la planta quede afectada; sin embargo es recomendable regarla cuando el sustrato se seque por la parte superficial. Durante la primavera, en cuanto veamos que empiezan a salir los nuevos brotes, añadiremos abono al agua de riego, lo que ayudará a desarrollar hojas de mayor tamaño.

consejos

■ La aspidistra suele acumular mucho polvo en las hojas, lo que anula el característico verdor de la hoja. Para limpiarla, podemos sacarla al exterior un día de lluvia y ella sola quedará limpia y saneada. Si no quieres esperar a un día de lluvia métela en la ducha, rocíala bien con agua templada y después pásale un paño empapado con cerveza por las hojas para incrementar el brillo de las mismas.

limpia las hojas con agua y
cerveza para potenciar su brillo

es lenta de crecimiento, pero
increíblemente resistente

riégala sólo cuando la
tierra se seque

Origen: China, Lejano Oriente
Luz: de poco luminoso a
luminoso
Temperatura ideal: 13-21 ºC
Temperatura mínima: 0-3 ºC
Riego: pc. de moderado a
poco; pd. dejar secar capa
superficial entre riegos
Fertilización: pc. cada mes;
pd. cada 3 meses

Aspidistra

117

Camadorea

CHAMAEDOREA ELEGANS

■ Esta pequeña palmera originaria de México y Guatemala es tan fácil de cultivar que se ha ganado un papel indiscutible dentro del grupo de plantas de interior resistentes que aguantan lo peor. Crea una pequeña mata compuesta por varios tallos palmeados, generando grupos densos muy elegantes. **Sin duda es la palmácea más fácil de cultivar en interior.**

■ **Es de crecimiento muy lento** y, puntualmente, de la inserción de las hojas con el tallo salen los tallos florales de color verde amarillento que contrastan con el color verde oscuro de sus hojas.

■ Es habitual que, debido a los ambientes secos de nuestros hogares, a la camadorea se le sequen las puntas de las hojas quedando éstas marrones. En principio, esto no desluce la elegancia de esta palmera y se puede evitar pulverizando las hojas regularmente.

cuidados

■ No es exigente en cuanto a luz, pudiendo sobrevivir en entornos poco luminosos del hogar. Obviamente, si se le da un lugar más luminoso crecerá mejor, pero siempre **evitando el sol directo, ya que amarilleará irremediablemente las hojas.**

■ Durante el crecimiento de nuevas hojas mantendremos la tierra húmeda y también la abonaremos, pero el resto del año deja que la tierra se seque entre riego y riego.

consejos

■ La camadorea **puede mantenerse con un aspecto saludable y elegante durante muchos años** sin necesidad de ser trasplantada, pero si observas que existe una descompensación entre una mata de tallos y hojas densa y voluminosa y un tiesto pequeño, trasplántala a un tiesto mayor utilizando un buen sustrato. Esta acción reactivará el crecimiento de nuevas raíces y, por tanto, de nuevas hojas.

es la palmera menos
exigente en luz

aumenta los riegos cuando
empiecen a salir hojas nuevas

riega sólo cuando se
seque la tierra

Origen: México
Luz: de poco luminoso a muy luminoso
Temperatura ideal: 17-23 ºC
Temperatura mínima: 5-7 ºC
Riego: pc. moderado; pd. dejar secar capa superficial entre riegos
Fertilización: pc. cada 3 semanas; pd. cada 2 meses

Camadorea

Cinta naranja

CHLOROPHYTUM "GREEN ORANGE"

■ Las cintas poseen un sistema radicular compuesto por raíces gruesas que actúan como reservas de agua, lo que les da mucha resistencia ante la falta de agua.

■ Las tradicionales cintas son muy populares, pero **la variedad "Green Orange" es un nuevo híbrido que se ha lanzado al mercado recientemente** y se caracteriza por crear una mata de hojas alargadas, ligeramente arqueadas, con el pecíolo y borde de las hojas de color naranja intenso. De hecho, se trata de una planta de interior única con tonalidades naranjas vivas, lo que, unido a su resistencia, le confiere cualidades decorativas interesantes y novedosas.

■ Las gruesas raíces saturan en un periodo corto de tiempo el volumen de tierra de la maceta, por lo que requieren ser trasplantadas a un tiesto de mayor tamaño una vez al año. En caso de querer mantener el tiesto original, sacaremos la planta y le podaremos unas cuantas raíces para activar de esta forma la creación de nuevas raíces.

cuidados

■ El interés decorativo de la cinta naranja reside en la coloración naranja de sus hojas, la cual se ve intensificada con la luz, por lo que exige lugares luminosos, sin sol directo. Si la colocamos a contraluz disfrutaremos más de estos peculiares tonos naranjas. Los riegos han de ser moderados, aumentándolos durante el verano y dejando secar el sustrato entre riego y riego en invierno.

consejos

■ **Os aconsejo combinar esta cinta naranja con los frutos naranjas de las nerteras.** Las nerteras las plantaremos en la base de la cinta y conseguiremos de esta forma una combinación de cinta con tonos naranjas y una cobertura de la base con las características pequeñas bayas naranjas de la nertera, dos atractivos complementos naranjas unidos en una misma composición.

cuanta más luz tenga más se intensifican las tonalidades naranjas de los pecíolos

riégala cuando se seque la parte superior de la tierra

posee unas gruesas raíces que actúan como reseva de agua

Origen: Sudáfrica, híbrido
Luz: de luminoso a muy luminoso, nunca sol directo
Temperatura ideal: 16-21 ºC
Temperatura mínima: 4-7 ºC
Riego: pc. húmedo; pd. dejar secar capa superficial entre riegos
Fertilización: pc. cada 3 semanas; pd. cada 2 meses

Cinta naranja

Clivia

CLIVIA MINIATA

■ La clivia es una planta clásica de patios, portales y de nuestros hogares. La razón de su popularidad se debe a lo fácil de su cultivo, por un lado, y a la atractiva floración anual por otro. **Las flores aparecen por primavera y generalmente suelen ser de color rojo y anaranjado,** pero también existen variedades de flor amarillenta, como la de la foto, que, aunque menos habitual, no deja de ser elegante.

■ Sus hojas solas sin flor también resultan muy decorativas. La clivia crea una mata de hojas anchas y gruesas de color verde oscuro brillante con un porte ligeramente arqueado, que limpiaremos puntualmente quitándoles el polvo acumulado y potenciando el brillo propio de la hoja.

■ Las raíces son gruesas, razón por la cual es una planta resistente a la falta de agua.

cuidados

■ **No es muy exigente en cuanto a luz** y puede crecer y mantenerse con vida en los rincones menos luminosos, pero también es verdad que agradece lugares más luminosos. El exceso de sol, sin embargo, puede dañar las hojas verdes, creándoles quemaduras y amarilleamientos.

■ **Los riegos han de ser moderados y espaciados,** aunque no dejaremos que se seque totalmente el sustrato ni que se encharque la tierra, porque al igual que el exceso de sol, el de agua puede dañar la planta. Un riego cada 15 días durante la época de crecimiento es suficiente.

consejos

■ Para lograr una floración anual en primavera, **la clivia exige ser "maltratada" a finales de otoño.** El maltrato se reduce a hacerle pasar frío durante un par de meses a una temperatura de 10 °C (nunca menos de 5 °C), lo que podemos hacer perfectamente sacándola al exterior, y dejar de regarla. El fresco y la falta de agua provocarán la aparición de nuevas flores en primavera.

las variedades más habituales son de flor roja, aunque también las hay blancas

para potenciar la floración anual hay que dejar de regarla en invierno

es de crecimiento lento, pero muy resistente

Origen: Sudáfrica
Luz: de poco luminoso a muy luminoso
Temperatura ideal: 17-21 °C
Temperatura mínima: 5-7 °C
Riego: pc. moderado; pd. dejar secar capa superficial entre riegos
Fertilización: pc. cada mes; pd. cada 3 meses

Clivia

Drácena

DRACAENA DEREMENSIS

■ La drácena *deremensis* es, seguramente, una de las plantas de interior **más rústica y fácil de cultivar que existen.** Se adapta perfectamente a las condiciones de ambiente seco y de poca luz de los hogares.

■ La drácena *deremensis*, al igual que otras drácenas, se suele cultivar en grupos de tres individuos de alturas distintas que aportan volumen al conjunto.

■ El color de las hojas difiere en cada variedad, existiendo hojas totalmente verdes, hojas con colores verdes y amarillo, y también las hay de color verde y blanco. Es una planta de crecimiento lento, pero con el tiempo puede llegar a alcanzar los 2 metros de altura.

■ El gran número de variedades con distintas coloraciones y su excelente adaptación al crecimiento en nuestros hogares son dos ventajas excepcionales que ofrecen estas drácenas. **Es una planta aconsejable para las personas que tienen mala mano con las plantas,** ya que la drácena *deremensis* es una superviviente.

cuidados

■ **No es muy exigente en cuanto a luz y puede crecer y mantenerse con vida en rincones poco luminosos** o en una oficina con luz artificial y veréis como sobrevive, pero cuanta menos luz tenga menor será su crecimiento. Si queréis verla crecer más densa y tupida es aconsejable acercarla a una fuente de luz tamizada, evitando el sol directo que daña las hojas causándoles quemaduras y amarilleamientos. Las variedades de hojas matizadas en amarillo y blanco son más exigentes en cuanto a luz que las variedades completamente verdes.

■ **Los riegos han de ser moderados,** regando la planta cuando observemos que la tierra se ha secado. Un exceso de agua es peor con esta planta que una carencia, ya que el exceso provoca podredumbres de raíz y tallo que derivan en la muerte de la planta. Agradece ser pulverizada, pero no lo exige. Si el ambiente es muy seco puede que las puntas de las hojas se sequen.

consejos

■ La drácena se cultiva muy fácil en una hidrojardinera que asegure una óptima hidratación de la tierra. Mucha gente suele atar los tallos entre sí, lo que no suele ser muy atractivo. Otra opción es podar la mitad de los tallos a una tercera parte de su longitud. Esto activará la aparición de nuevos tallos cerca del tronco central, recuperando el porte compacto deseado.

tolera lugares con luz moderada

si el tallo se alarga en exceso, se puede podar

hasta que no se seque la parte superior de la tierra no hay que regarla

Origen: zonas tropicales de África
Luz: de luminoso a muy luminoso, nunca sol directo
Temperatura ideal: 16-21 ºC
Temperatura mínima: 3-5 ºC
Riego: pc. moderado; pd. dejar secar capa superficial entre riegos
Fertilización: pc. cada mes; pd. cada 3 meses

Drácena

Aralia

FATSIA JAPONICA

■ La aralia **es una de las plantas de interior más duras y resistentes** que podemos cultivar. Por su rusticidad y fácil cultivo han sido tradicionalmente plantadas en portales o patios donde no recibían muchos cuidados y, sin embargo, seguían creciendo. La aralia es una superviviente nata, y muy versátil, ya que la podemos cultivar en interior, en patios y terrazas y también en zonas sombrías del jardín.

■ Cultivada en exterior, la planta puede llegar a alcanzar 4 metros de altura. Crea unos tallos erguidos y gruesos de los que salen sus grandes hojas brillantes y palmeadas, compuestas por siete o nueve lóbulos.

■ Las plantas adultas cultivadas en exterior dan lugar a unas inflorescencias blanquecinas que se llenan de pequeñas flores de color crema, de las que surgen racimos de bayas negras.

cuidados

■ Tolera exposiciones de poca luz, pero siempre crecerá más frondosa y densa en presencia de luz indirecta. **El sol puede llegar a dañar sus verdes hojas,** por lo que de ser cultivada en exterior siempre lo haremos a la sombra.

■ **Los riegos tienen que ser moderados,** sin pasarse en exceso, y cuando veamos que empiezan a aparecer nuevas hojas aumentaremos el riego añadiéndole abono de crecimiento al agua de riego.

consejos

■ La rusticidad de la aralia hace que **no sea necesario cambiarla de tiesto a menudo para que sobreviva.** Pero pasados unos años, verás que las partes inferiores de las planta han podido perder las hojas, quedando la planta un poco desaliñada. Para potenciar la emergencia de nuevos tallos de la base, corta los troncos y esquéjalos aparte. La aralia arraiga muy fácil del esqueje, por lo que habremos conseguido multiplicar la planta madre y del punto del corte aparecerán nuevos brotes que garantizarán la densidad deseada.

para mantener la densidad hay
que podarla cuando los tallos
queden desnudos

hay que limpiar las
hojas puntualmente

añadiéndole abono al agua de
riego cada 15 días sus hojas
serán de mayor tamaño

Origen: Japón
Luz: de poco luminoso a muy
luminoso
Temperatura ideal: 13-17 °C
Temperatura mínima: 0-3 °C
Riego: pc. húmedo; pd. dejar
secar capa superficial entre riegos
Fertilización: pc. cada 3
semanas; pd. cada 2 meses

Aralia

127

Flebodio

PHLEBODIUM AUREUM

■ El flebodio es un interesante helecho, ya que **además de su atractivo y elegante follaje es muy fácil de cultivar.**

■ Las hojas de este helecho están marcadamente cortadas, y posee un color verde-azulado muy peculiar. Alcanza un gran tamaño, y si nos fijamos en la parte posterior de las hojas veremos que éstas están repletas de puntuaciones prominentes donde la planta crea las esporas que utiliza para su reproducción.

■ Las hojas del flebodio salen de una base engrosada por rizomas. Los rizomas son raíces gruesas que actúan como reserva de agua y nutrientes, lo que le da mucha rusticidad a este helecho. Los rizomas se van extendiendo por la superficie del tiesto, llegándolo a cubrir por completo. Estos rizomas están cubiertos por pelillos.

cuidados

■ Éste es un helecho **exigente en cuanto a luz.** Le destinaremos un lugar amplio y con mucha luz tamizada, ya que el sol directo quema irremediablemente sus hojas. Prefiere temperaturas cálidas y los riegos han de ser frecuentes, evitando los encharcamientos.

■ Como todos los helechos, el flebodio **es exigente con la humedad ambiental,** por lo que hay que pulverizarlo con cierta frecuencia.

consejos

■ Hemos tenido mucho éxito con el cultivo de este helecho, viéndolo crecer hasta alcanzar gran tamaño.

■ Según veamos que **los rizomas van cubriendo toda la base del tiesto lo tendremos que trasplantar a macetas de mayor tamaño.** Colócalo aislado sobre un taburete y verás cómo sus hojas se arquean creando una gran mata de hojas muy decorativas.

las hojas pueden llegar
a alcanzar medio metro
de altura

mantén el sustrato
ligeramente húmedo

los nuevos tallos son muy
delicados y se rompen con
facilidad

Origen: América tropical
Luz: de poco luminoso a muy
luminoso
Temperatura ideal: 16-21 ºC
Temperatura mínima: 4-7 ºC
Riego: abundante, evitar
encharcamiento
Fertilización: pc. cada mes;
pd. cada 3 meses

Flebodio

Lengua de tigre

SANSEVIERIA TRIFASCIATA "LAURENTII"

■ La *Sansevieria* es una planta de interior muy popular debido a su alta rusticidad y fácil cultivo. **Es una planta muy longeva,** que, incluso sin cuidados, sobrevive perfectamente. Su aspecto, con hojas erguidas y duras, aporta a esta planta un aspecto escultural ideal para la decoración de interiores modernos. Existen distintas variedades, cada una de ellas con hojas de formas diversas con distintos matices de color, pero la más popular es la *Sansevieria* de hojas verdes con matices grisáceos y los bordes con una banda vertical de color amarillento.

■ Es una planta de lento desarrollo que anualmente crea sólo tres o cuatro nuevas hojas.

cuidados

■ Podríamos decir que incluso descuidándola del todo la *Sansevieria* sobrevivirá. A esta planta **le encanta el pleno sol,** pero no es especialmente exigente en cuanto a luz, pudiendo vivir en zonas poco luminosas, pero siempre se desarrollará mejor cerca de una fuente de luz natural luminosa. Si hay poca luz creará pocos tallos nuevos y éstos serán largos y poco consistentes, tendiendo a arquearse.

■ **Requiere muy pocos riegos,** y de hecho el mayor enemigo de la *Sansevieria* es el exceso de agua. Si sois adictos a regar muchos las plantas, conteneos de regarla ya que un exceso de agua provoca la podredumbre de la base de las hojas y, consecuentemente, su caída.

consejos

■ La *Sansevieria* es ideal para decorar buscando efectos de verticalidad. Resulta muy vistoso crear grupos de tres plantas, cada una de ellas en un tiesto de barro independiente y preferiblemente alto. La agrupación de las tres *Sansevierias* sobre un fondo neutro y limpio hace que las plantan actúen como punto focal de indudable protagonismo.

las nuevas hojas superan en altura a las viejas

es de crecimiento lento pero muy resistente, ideal para lograr efectos de verticalidad

hay que regarla muy poco, el exceso produce podredumbre

Origen: Sudáfrica
Luz: de poco luminoso a muy luminoso
Temperatura ideal: 16-21 ºC
Temperatura mínima: 4-7 ºC
Riego: pc. de poco a moderado; pd. dejar secar capa superficial entre riegos
Fertilización: pc. cada mes; pd. cada 3 meses

Lengua de tigre

Singonio

SYNGONIUM PODOPHYLLUM

■ El singonio es una planta de interior resistente e ideal para aquellas personas que empiezan a aficionarse al cultivo de las plantas de interior. Es originaria de Sudamérica y posee unas hojas grandes con forma de flecha de color verde claro jaspeado con los nervios muy marcados.

■ En realidad **es una planta trepadora,** por lo que según va creciendo llega un momento en que necesita un soporte para mantenerse erguida.

■ Es una planta que para lucir todo su porte necesita cierto espacio, ya que crea una mata abierta en la cual todas las hojas tienen su protagonismo. Para evitar la pérdida de estas hojas atenderemos a unos cuidados mínimos.

cuidados

■ **El singonio requiere una luz indirecta, nunca sol directo,** aunque si la pones en un lugar excesivamente sombrío verás que la planta sobrevive, pero sus hojas tenderán a oscurecerse perdiendo los matices de color que aportan su singularidad. Los riegos han de ser moderados, no llegando a dejar secar la tierra entre riego y riego, y evitando el encharcamiento. Un exceso de agua provocará la podredumbre de las raíces y de la base de las hojas.

■ No es muy exigente en cuanto a humedad ambiental, pero agradecerá que de vez en cuando la pulvericemos si se encuentra en ambientes excesivamente secos.

consejos

■ **El singonio, al adquirirlo, posee un porte compacto lleno de hojas.** Según va creciendo la planta, las hojas inferiores van muriendo y aparecen otras nuevas en la parte superior. Cuando esto ocurra es el momento de entutorarla, colocándole un soporte con musgo para que las raíces aéreas que crea vayan introduciéndose entre el musgo. Si queremos mantenerla compacta, hemos de acortar los tallos trepadores en cuanto aparezcan.

necesita un entorno
con luz moderada

según crece, necesita un tutor
para mantenerse erguida

mantén la tierra
ligeramente húmeda

Origen: Sudamérica
Luz: de poco luminoso a muy
luminoso, nunca sol directo
Temperatura ideal: 16-21 ºC
Temperatura mínima: 4-7 ºC
Riego: pc. moderado; pd. dejar
secar capa superficial entre riegos
Fertilización: pc. cada 3
semanas; pd. cada 3 meses

Singonio

Zamioculca

ZAMIOCULCA ZAMICIFOLIA

■ Esta planta de interior originaria de África es **muy resistente y poco exigente,** esto, unido a su porte atípico y moderno, hace que se convierta en una planta de interior indispensable para cualquier hogar.

■ Sus hojas están compuestas por un tallo grueso y foliolos redondos también relativamente gruesos de color verde oscuro con un característico brillo propio de las zamioculcas.

■ Sus raíces también son gruesas, y tanto las raíces como las hojas actúan como órganos de reserva de agua.

cuidados

■ Las zamioculcas no son muy exigentes en cuanto a luz, y crecen bien incluso en aquellos lugares donde no hay mucha luz natural, pero con suficiente suplemento de luz artificial. Sin embargo, para potenciar un correcto desarrollo **agradece una posición luminosa pero sin incidencia del sol directo.** De esta forma conseguiremos que los nuevos brotes sean compactos y de color verde oscuro.

■ Los riegos han de ser moderados, dejando secar la tierra entre riego y riego. Durante el invierno es importante reducir los riegos, y al inicio de la primavera añadiremos abono líquido mensualmente al agua del riego.

■ Tolera perfectamente los ambientes secos, por lo que no requiere pulverizaciones de follaje.

consejos

■ La zamioculca crea un sistema de raíces muy voluminoso, y si la planta está a gusto enseguida satura el volumen de tierra disponible en el tiesto. Por esta razón, **cada dos años será necesario trasplantarla** a un tiesto de mayor tamaño, lo que incidirá directamente en un mejor desarrollo de la planta.

muy resistente y decorativa, ideal para crear efectos de verticalidad

las hojas y pecíolos poseen un color verde brillante muy elegante

riega la tierra puntualmente, cuando ésta se haya secado

Origen: África
Luz: de poco luminoso a muy luminoso
Temperatura ideal: 16-21 °C
Temperatura mínima: 3-5 °C
Riego: pc. moderado; pd. dejar secar capa superficial entre riegos
Fertilización: pc. cada 3 semanas; pd. cada 2 meses

Zamioculca

plantas con hojas sorprendentes

Uno de los atractivos indiscutibles de gran número de plantas de interior son los dibujos y colores con que visten sus hojas. Cuando vemos un leopardo en la sabana africana, ya sabemos que las manchas de su piel son para camuflarse entre la vegetación de la pradera. Los dibujos de las hojas actúan en cierta forma como cubierta protectora, siendo señales que avisan de una posible toxicidad, lo que evita que los depredadores se las coman.

Estos espectaculares diseños coloristas de las hojas han evolucionado gracias a las hibridaciones y modificaciones genéticas a las que las han sometido los seres humanos. Se mezclan distintas variedades intentando conseguir nuevos híbridos con colores y dibujos de hojas llamativos y novedosos, lo que permitirá su introducción en el mercado del cultivo y consumo de plantas de interior.

Uno de los enemigos de las plantas de interior de interesante follaje es el sol directo. Al colocar una planta junto a una ventana, tras un cristal sin cortina, el sol, al atravesar el cristal, actúa creando el efecto lupa, lo que quema las hojas y éstas pierden su atractiva coloración y dibujo.

Para potenciar un crecimiento sano y con hojas de buen tamaño, color y con los dibujos deseados no dudes en mimar a estas plantas y abonarlas con un abono de crecimiento.

No debemos olvidar que los matices coloristas que aportan estas plantas nos ofrecen una amplia gama de oportunidades decorativas.

Asplenium
ASPLENIUM BULBIFERUM
>> 138

Estenante
CTENANTHE OPPENHEIMIANA
>> 150

Begonia
BEGONIA REX
>> 140

Falsa aralia
DIZYGOTHECA ELEGANTISSIMA
>> 152

Calatea
CALATHEA RUFIBARBA
>> 142

Maranta
MARANTA LEUCONEURA
>> 154

Cárex
CAREX ALBULA
>> 144

Reo
RHOEO SPATHACEA
>> 156

Crotón
CODIAEUM VARIEGATUM PICTUM
>> 146

Cheflera
SCHEFLERA ARBORICOLA
>> 158

Corinicarpo
CORYNOCARPUS LAEVIGATA
>> 148

Yuca variegada
YUCCA ELEPHANTIPES "VARIEGATA"
>> 160

Asplenium

ASPLENIUM BULBIFERUM

■ Este curioso helecho es originario de los bosques húmedos de Australia y Malasia. Pertenece al grupo de helechos arbóreos que, al contrario que los helechos de mata, lentamente van desarrollando un tronco, confiriéndole a la planta una elegancia indiscutible.

■ **Sus hojas están muy divididas,** lo que le otorga un atractivo innegable. En las extremidades de las hojas se crean unos minúsculos bulbillos de donde salen nuevas plantitas, idénticas a la planta madre.

■ Hoy en día este helecho se vende cultivado sobre un tronco de helecho arbóreo vaciado en su interior, por lo que no lo cambiaremos de recipiente ya que además del tallo y hojas, el contenedor natural tan particular, aparte de favorecer su crecimiento, añade un interés decorativo adicional.

cuidados

■ Es un helecho **poco exigente en cuanto a luz,** aunque ésta siempre debe estar filtrada a través de una cortina para evitar las quemaduras del sol.

■ Es exigente en cuanto al agua de riego, debiendo **regar regularmente pero con moderación,** y sin dejar que nunca se seque la tierra.

■ El tronco que actúa como tiesto lo colocaremos en un platillo con piedrecillas. Nos aseguraremos de que no falte agua en este platillo. De esta forma, creamos las condiciones de humedad ambiental que exige este asplenium.

consejos

■ **Los hijuelos que se forman en las puntas de las hojas son nuevas plantas en potencia.** Te aconsejo que cojas los hijuelos más grandes y los plantes en tiestos individuales, manteniendo siempre un alto grado de humedad, tanto en el ambiente como en la tierra. Lentamente, crecerán raíces y, una vez bien enraizado, comenzarán a salir nuevas hojas. Es un proceso lento pero muy gratificante.

necesita luz moderada y una
alta humedad ambiental

en las hojas emergen
pequeñas plantitas que
utilizaremos para
reproducir este helecho

mantén un dedo de agua
siempre en el plato

Origen: Australia, sur del Pacífico
Luz: de luminoso a muy luminoso,
nunca sol directo
Temperatura ideal: 13-17 °C
Temperatura mínima: 3-5 °C
Riego: abundante, evitar
encharcamiento
Fertilización: pc. cada mes;
pd. cada 3 meses

Asplenium

139

Begonia

BEGONIA REX

■ La *Begonia rex* es, seguramente, una de las plantas de interior más curiosas y llamativas que existen. La planta está compuesta por una roseta de hojas acorazonadas de gran tamaño donde se intercalan, formando atractivos dibujos, los colores rosa, morado, crema y casi negro. **Existen muchas variedades** y cada una posee una coloración y dibujos diferentes.

■ Las hojas presentan una textura rugosa y semicarnosa. Puntualmente suelen florecer, pero al contrario que la mayoría de las begonias cultivadas por sus llamativas flores, las de la *Begonia rex* son insignificantes, no añadiéndole atractivo adicional.

cuidados

■ Las *Begonia rex* **son exigentes en cuanto a luz.** Hay que colocarlas cerca de una ventana orientada al norte, ya que la incidencia de sol directo quemaría los atractivos dibujos de estas begonias de forma irreparable. **Los riegos han de ser moderados,** sin llegar a encharcar la tierra y sin que ésta se llegue a secar del todo. **Agradece ambientes con cierta humedad,** por lo que habrá que pulverizarla puntualmente.

consejos

■ Si te cautiva la *Begonia rex* y **quieres reproducirla, tendrás que cortar las hojas viejas desde la base y proceder a eliminar dos terceras partes del pecíolo.** Estas hojas, ya con sólo una tercera parte del pecíolo, las colocas en un vaso con agua, añadiendo un poco de hormona de enraizamiento al agua y enseguida empiezan a salir nuevas raíces. Verás cómo con el tiempo en el punto de encuentro del pecíolo y la hoja comienzan a salir nuevas hojitas. Cuando el número de raíces sea considerable, plántala en un tiesto pequeño y habrás conseguido reproducir la *Begonia rex*.

demanda mucha luz
pero no sol directo

las hojas poseen dibujos y
colores muy decorativos

hay que evitar que la tierra
llegue a secarse

Origen: zonas tropicales
Luz: de luminoso a muy luminoso,
nunca sol directo
Temperatura ideal: 15/-19 °C
Temperatura mínima: 4-7 °C
Riego: pc. moderado; pd. dejar
secar capa superficial entre riegos
Fertilización: pc. cada 3
semanas; pd. cada 2 meses

Begonia

Calatea

CALATHEA RUFIBARBA

■ Las calateas están emparentadas con las marantas y los estenantes y poseen unas hojas muy llamativas. Dependiendo de las distintas especies y variedades, las hojas pueden tener formas y colores de lo más variopintos. **La *Calathea rufibarba*, sin embargo, se caracteriza por su envergadura,** de hasta un metro de altura, sus largos y finos tallos y sus hojas también alargadas con forma de lanza, onduladas en el perímetro y de color verde oscuro en la parte superior y un verde morado en la zona inferior.

■ La calatea **puntualmente puede florecer,** y las flores aparecen en la base del tallo como si emergiesen de la tierra. El interés de la floración es más bien botánico ya que carecen de valor estético alguno.

cuidados

■ Teniendo en cuenta que es una planta originaria del sotobosque de la selva tropical húmeda podemos deducir que la calatea **agradece una exposición de luz moderada, evitando siempre el sol directo.**

■ Los riegos tienen que ser abundantes durante el crecimiento, sin encharcar la tierra, y en invierno se reducen, dejando secar levemente la tierra entre riego y riego.

consejos

■ Suele ser habitual observar que las puntas de la calatea se ponen marrones. Esto es debido a que el ambiente es demasiado seco. **Tendremos que aumentar la humedad ambiental pulverizándola regularmente** o poniendo un plato amplio en la base del tiesto, donde colocaremos dos dedos de gravilla, y sobre la gravilla el tiesto. El agua excedente del riego queda en el platillo y, según se va evaporando, aumenta la humedad ambiental en el entorno de la calatea, y, gracias a la gravilla, el cepellón de tierra no quedará continuamente encharcado.

para evitar que las puntas
de las hojas se sequen,
pulverízala regularmente

las flores
son insignificantes

evita los
encharcamientos del
cepellón

Origen: Centroamérica
Luz: de luminoso a muy luminoso,
nunca sol directo
Temperatura ideal: 18-24 °C
Temperatura mínima: 5-9 °C
Riego: pc. moderado; pd. dejar
secar capa superficial entre riegos
Fertilización: pc. cada 3
semanas; pd. cada 2 meses

Calatea

143

Cárex

CAREX ALBULA

- Los cárex o junquillos son un grupo de plantas muy amplio, creciendo principalmente en zonas húmedas cercana a los ríos.

- Debido a lo ornamental de su fino, largo y arqueado follaje, cada vez son más las variedades que se están introduciendo en el mercado, principalmente como plantas de jardín, pero también podremos cultivar muchas variedades en interior con éxito si les destinamos un lugar fresco y con bastante luz.

- La variedad **Carex albula "Frosted Curls" crea una mata de hojas largas y finas con variegación verde-blanquecina, lo que le otorga un aspecto muy elegante y luminoso.** Sus flores son insignificantes, siendo su único atractivo su follaje variegado y arqueado.

cuidados

- El *Carex albula* **tolera entornos de sol directo y media sombra,** por lo que le destinaremos un lugar luminoso dentro de la casa. Exige un lugar fresco.

- Al contrario que otros cárex, el *Carex albula* no es de zonas húmedas y **puede tolerar momentos de sequía, por lo que lo regaremos moderadamente,** sin encharcar la tierra, pero sin dejarla secar del todo.

consejos

- Para poder apreciar todo el atractivo y elegancia del follaje pendular fino y plateado de este cárex, **plántalo en un tiesto alto.** De esta forma sus largas y finas hojas colgarán quedando suspendidas, lo que realzará el valor decorativo del cárex.

- Si tienes un patio o terraza, también puedes cultivarlo en exterior obteniendo excelentes resultados.

destínale un lugar fresco con
luz intensa

con tiestos altos, su follaje
fino, largo y curvo luce todo
su potencial

evita encharcamientos y
abónalo en primavera

Origen: Nueva Zelanda
Luz: muy luminoso, algo de sol
directo
Temperatura ideal: 15-19 °C
Temperatura mínima: 1-3 °C
Riego: pc. moderado; pd. dejar
secar capa superficial entre
riegos
Fertilización: pc. cada 3
semanas; pd. cada 2 meses

Cárex

Crotón

CODIAEUM VARIEGATUM PICTUM

■ El crotón es una de las plantas de interior que posee la mayor gama de colores vivos en sus hojas. Éstas son duras y poseen nervaduras con coloraciones muy atractivas que van desde el amarillo y el anaranjado hasta los tonos rojizos. Hay numerosas variedades, cada una de ellas con hojas de diferentes formas y colores.

■ **Puede alcanzar 90 cm de altura,** y gracias a su porte erguido y a la singular forma y color de sus hojas es una planta de interior con mucha fuerza visual y protagonismo indiscutible.

cuidados

■ El crotón **es bastante exigente en cuanto a nivel de luminosidad.** Debe colocarse cerca de una ventana evitando la incidencia de sol directo, que podría quemar y dañar los característicos matices coloristas de sus hojas.

■ **Requiere una temperatura constante y cálida a lo largo del año,** y evitaremos las corrientes de aire.

■ **Los riegos han de ser regulares,** aumentándolos durante el periodo de crecimiento **pero evitaremos encharcar las raíces.** La sequedad de la tierra puede derivar en la pérdida parcial de las hojas.

■ **Es exigente en cuanto a humedad ambiental,** por lo que un secreto para mantener al crotón vistoso es pulverizar sus hojas con agua tibia frecuentemente.

consejos

■ Los ambientes secos del hogar pueden provocar la pérdida de las hojas inferiores, lo cual deslucirá el atractivo del crotón. **Para evitar la caída de las hojas hay que pulverizarlas a menudo,** pero si por descuido perdieran las hojas inferiores, coloca en la base del crotón otras plantas de requisitos similares que llenen el vacío dejado tras la caída de las hojas.

demanda mucha humedad ambiental

destínale un lugar muy luminoso

los riegos tienen que ser moderados, evitando los excesos

Origen: sur del Pacífico
Luz: muy luminoso algo de sol directo
Temperatura ideal: 18-24 ºC
Temperatura mínima: 5-9 ºC
Riego: pc. moderado; pd. dejar secar capa superficial entre riegos
Fertilización: pc. cada 3 semanas; pd. cada 2 meses

Crotón

Corinicarpo

CORYNOCARPUS LAEVIGATA

■ El corinicarpo es una planta de interior que ha sido introducida en el mercado recientemente debido a su resistencia y rusticidad, y al atractivo variegado de sus hojas.

■ Es una planta de **porte erguido que alcanza los 2 metros de altura con facilidad,** de crecimiento rápido, y con tendencia a ramificar de una forma no excesivamente densa.

■ Sus hojas son redondeadas y carnosas, actuando como reserva de agua, y, dependiendo de las diferentes variedades, éstas presentan coloraciones diversas. La variedad de la foto posee una variegación en tonos blanco y crema muy peculiar, lo que le confiere al conjunto un aspecto luminoso. Las variedades de hoja verde poseen un color verde brillante, también muy decorativo.

cuidados

■ Es una planta fácil de cultivar, a la que destinaremos **un lugar con luz moderada.** Las variedades de hojas matizadas en blanco agradecen lugares con más luz, evitando siempre el sol directo.

■ **Evitaremos encharcar el sustrato,** regando moderadamente cuando observemos que la parte superior comienza a secarse. Y agradece ser abonada con frecuencia. Tolera perfectamente los ambientes secos producidos por la calefacción, por lo que no exige ser pulverizada.

consejos

■ Para realzar la verticalidad, estructura y coloración matizada de sus hojas, **podemos plantar en la base del tiesto plantas de porte colgante, como unos potos o hiedras.** Elegiremos variedades de estas plantas trepadoras con variegaciones de hoja también en tonos blanco y crema, creando de esta forma un conjunto armónico con planta central y plantas colgantes de la misma coloración.

si crecen demasiado se pueden pinzar las puntas

las variedades con hojas matizadas aportan luminosidad

evita encharcamientos y abónala con frecuencia durante el crecimiento

Origen: Nueva Zelanda
Luz: de poco luminoso a muy luminoso
Temperatura ideal: 18-24 °C
Temperatura mínima: 5-9 °C
Riego: pc. moderado; pd. dejar secar capa superficial entre riegos
Fertilización: pc. cada 3 semanas; pd. cada 2 meses

Corinicarpo

Estenante

CTENANTHE OPPENHEIMIANA

■ El estenante es una planta de interior originaria de los bosques húmedos tropicales de Brasil, donde crece bajo la bóveda de los árboles. Podemos deducir por tanto que **es una planta que requiere humedad y sol indirecto.** La mata, que puede alcanzar el metro de altura, está compuesta por unos tallos finos de los que van saliendo unas preciosas hojas redondeadas con dibujos atigrados en tonos verde oscuro y grisáceo en la parte superior y granates en el envés.

■ La variedad "Burle Marxii" recibe el nombre de un prestigioso paisajista brasileño llamado Roberto Burle Marx, que durante la primera mitad del siglo XX fue el verdadero padre del paisajismo moderno, utilizando con maestría las curvas en sus diseños de jardines. También se le puede considerar como pionero del diseño ecológico, dándole a la flora originaria de Brasil el papel ornamental y ecológico que se merecen, hasta entonces menospreciado.

cuidados

■ Le destinaremos un entorno con mucha luz filtrada pero nunca sol directo, pues sus grandes hojas se quemarían.

■ Es aconsejable que **la temperatura no baje de los 16-18 °C,** pues es una planta que agradece los entornos cálidos, como los de la selva.

■ Los riegos serán abundantes durante la primavera y verano, y han de reducirse en invierno, ya que la actividad de la planta se para y no demanda tanta agua.

■ Es una planta **muy exigente en cuanto a humedad ambiental,** por lo que se debe pulverizar con regularidad.

consejos

■ Para que luzca el atractivo colorido y dibujo de sus hojas **es aconsejable cultivarla sola en un tiesto neutro y colocarla sobre un fondo también neutro.** Recomiendo un fondo blanco y un tiesto blanco para que éste se funda con el fondo y, por tanto, sobresalga exclusivamente todo el colorido de las hojas del estenante.

agradece luz tamizada y
temperaturas superiore a 18 °C

demanda una alta humedad
ambiental

riégala con frecuencia
durante el crecimiento
y reduce los riegos el
resto del año

Origen: Brasil
Luz: de poco luminoso a muy
luminoso
Temperatura ideal: 18-24 °C
Temperatura mínima: 5-9 °C
Riego: pc. húmedo; pd. dejar
secar capa superficial entre riegos
Fertilización: pc. cada 3
semanas; pd. cada 2 meses

Estenante

Falsa aralia

DIZYGOTHECA ELEGANTISSIMA

■ La falsa aralia es un elegante arbusto con múltiples tallos finos vestidos con hojas finas y estrechas de color marrón oscuro, casi negro. La forma de los tallos y las hojas tan finas dan la sensación de ser una planta muy delicada, pero en realidad es una planta de interior muy resistente y que ofrece muchas opciones decorativas.

■ Para sacar el máximo provecho decorativo a la falsa aralia, **la tendremos que colocar en un entorno luminoso, preferiblemente con fondo blanco y contenedor también blanco** para que de esta forma resalte el color oscuro de sus hojas.

cuidados

■ **Es una planta de fácil cultivo,** que no requiere ser pulverizada periódicamente para mantener su follaje sano.

■ En cuanto a luz, al tratarse de una planta de follaje oscuro **requiere bastante luz pero sin incidencia directa del sol.** La temperatura es mejor mantenerla constante durante todo el año, no dejando que en invierno baje por debajo de 15 ºC.

■ **Los riegos serán moderados,** asegurándonos de empapar todo el sustrato en cada riego y dejando secar la tierra entre riego y riego. Por tanto, sumérgela en agua tibia durante 15 minutos y luego déjala drenar bien.

consejos

■ El número elevado de tallos finos y sus finas hojas le aportan un aspecto peculiar a la falsa aralia, pudiéndola utilizar como planta de centro de mesa. Para este fin, selecciona un recipiente bajo y trasplántala al mismo con cuidado, consiguiendo de esta forma una composición tipo bosquete en miniatura muy decorativa.

demanda mucha luminosidad

el color de sus hojas es muy oscuro, casi negro

riegos moderados y abonos quincenales

Origen: Polinesia
Luz: de luminoso a muy luminoso, nunca sol directo
Temperatura ideal: 18-24 ºC
Temperatura mínima: 5-9 ºC
Riego: pc. moderado; pd. dejar secar capa superficial entre riegos
Fertilización: pc. cada 3 semanas; pd. cada 2 meses

Falsa aralia

Maranta

MARANTA LEUCONEURA

■ La maranta, al igual que la calatea y el estenante, es originaria de los bosques húmedos de Brasil, y, al contrario que éstas, tiene un porte semirrastrero. Sus tallos no tienen fuerza para erguirse por sí solos, y actúan como una planta cubresuelos.

■ **Lo más llamativo de la maranta es sin duda el delicado diseño de sus hojas.** Éstas son ovaladas, donde se combinan los colores verde pálido y el verde oscuro, y con nervaduras brillantes marcadas en color rojo.

■ Existen muchas variedades de marantas, pero sin duda **la variedad "Fascinator" es la más colorista y llamativa de todas.** Como el nombre indica, es una maranta fascinante.

■ Las hojas de la mayoría de las marantas se repliegan al caer la noche: quedan erguidas y replegadas durante toda la noche y se vuelven a abrir al amanecer.

cuidados

■ Los cuidados de la maranta son los mismos que los del estenante y la calatea, es decir, **requieren un lugar con luz moderada y sin sol directo.**

■ La tierra la mantendremos húmeda durante el crecimiento pero sin llegar a encharcarla, reduciendo los riegos en invierno, y le proporcionaremos mucha humedad ambiental pulverizando sus hojas regularmente.

consejos

■ **Si el ambiente de tu casa es más bien húmedo, no dudes en conseguir una maranta.** Dale los cuidados descritos y si ves que la maranta crece bien y sus hojas no se acartonan en el perímetro, acompaña a la maranta con un estenante y una calatea. Asociando este grupo de plantas tan emparentadas entre sí tendrás una ligera muestra de la exuberante selva amazónica en tu casa.

las flores no aportan interés
adicional

según crece, guíala por el tutor
del musgo

las hojas poseen un
decorativo y atractivo
dibujo colorista

Origen: Brasil
Luz: de luminoso a muy
luminoso, nunca sol directo
Temperatura ideal: 15-19 °C
Temperatura mínima: 3-5 °C
Riego: pc. moderado; pd. dejar
secar capa superficial entre
riegos
Fertilización: pc. cada 3
semanas; pd. cada 2 meses

Maranta

Reo

RHOEO SPATHACEA

■ El reo es una planta de interior resistente que está compuesta por un corto tallo de donde surge una roseta de hojas de aproximadamente 30 cm de longitud. Las hojas son carnosas y tienen forma de lanza. **El atractivo del reo reside precisamente en la doble coloración de sus hojas;** éstas, por la parte superior, son de color verde oscuro y, sin embargo, la parte inferior tiene un peculiar y curioso color morado.

■ En la intersección de las hojas con el tallo aparecen puntualmente las flores. Éstas están rodeadas por unas brácteas moradas que a modo de concha protegen las insignificantes florecillas blancas.

■ **Posee unas raíces gruesas, lo que le otorga resistencia ante la sequía,** siendo una planta agradecida y fácil de cultivar.

cuidados

■ No es exigente en cuanto a luz, pero **agradece entornos de luz moderada sin incidencia de sol directo.**

■ **El sustrato lo debemos mantener cuidadosamente húmedo,** evitando los excesos de agua y dejando secar la parte superior entre riego y riego. Durante el periodo de crecimiento primaveral agradece ser rociada con agua periódicamente.

consejos

■ La principal particularidad del reo es el color morado de la parte inferior de la hoja. **Es aconsejable combinar en un mismo tiesto el reo como planta central y la *Gynura* como planta que cubra el sustrato y la maceta.** La *Gynura,* con sus pelillos de color morado, armonizará con el color morado de las hojas del reo, creando un conjunto armónico de preciosos e iridiscentes tonos morados.

en la parte inferior de las flores tienen un interesante color morado

las flores aparecen pegadas al tallo

mantén el sustrato cuidadosamente húmedo

Origen: México
Luz: de luminoso a muy luminoso, nunca sol directo
Temperatura ideal: 16-21 ºC
Temperatura mínima: 4-7 ºC
Riego: pc. húmedo; pd. dejar secar capa superficial entre riegos
Fertilización: pc. cada 3 semanas; pd. cada 2 meses

Reo

Cheflera

SCHEFLERA ARBORICOLA

■ Esta planta originaria de Australia es muy común como planta de interior. Posee un porte erguido que puede alcanzar con facilidad los 2-3 metros de altura dependiendo del espacio que tenga disponible. Posee hojas compuestas divididas en foliolos, generalmente de color verde, pero dependiendo de las múltiples variedades existentes, aparecen con mayor o menor presencia dibujos en tonos crema-amarillentos.

■ La cheflera es una planta de interior de gran porte, por lo que **se le debe destinar un rincón en el hogar espacioso y luminoso.** Su cultivo es muy sencillo y se aconseja girar la planta regularmente para conseguir un efecto homogéneo del follaje.

cuidados

■ La cheflera **es exigente en cuanto a luz** y las variedades con mayor intensidad de matices cremosos aún exigen más luz. Cultivada en un entorno poco luminoso la cheflera perderá las hojas inferiores adquiriendo un aspecto poco decorativo. Si el sol incide excesivamente sobre el follaje, éste puede llegar a perder el tono verde oscuro de las hojas, adquiriendo un verde amarillento propio de un exceso de exposición al sol.

■ En cuanto a **los riegos, serán generosos** pero es importante dejar secar la tierra antes de volver a regar. Un exceso de agua, además de podredumbres de tallo, puede derivar en un amarilleamiento de las hojas y posterior caída. La cheflera no exige ser pulverizada, aunque lo agradece, y tolera temperaturas frías rondando los 5 °C en invierno.

consejos

■ **Si nuestra cheflera está contenta, crecerá de 30 a 40 cm al año.** Con el paso del tiempo suele ocurrir que las partes inferiores pierdan las hojas y el exceso de altura hace que la planta comience a arquearse. Si esto ocurriese, al inicio de la primavera se poda severamente, incluso a mitad de su volumen total. Del punto donde hayamos realizado la poda surgirán nuevos brotes que aseguran el porte compacto y la densidad de follaje deseados.

podremos pinzar las puntas
para potenciar mayor
densidad

según crece, ha de ser
guiada al tutor

deja secar la parte
superior de la tierra
entre riego y riego

Origen: sudeste de Asia
Luz: muy luminoso, algo de sol directo
Temperatura ideal: 16-21 °C
Temperatura mínima: 3-5 °C
Riego: pc. moderado; pd. dejar secar capa superficial entre riegos
Fertilización: pc. cada 3 semanas; pd. cada 2 meses

Cheflera

Yuca variegada

YUCCA ELEPHANTIPES "VARIEGATA"

■ La yuca es una planta de interior habitual por su resistencia y la encontramos presentada normalmente en conjuntos de varios tallos que están coronados por hojas verdes rígidas. Sin embargo, la variedad variegada de yuca normalmente se presenta con un único tronco de donde emergen las hojas, largas, más finas y con característico dibujo en líneas verticales blancas y verdes. El color blanquecino verdoso que se genera en el follaje resulta muy fresco y decorativo. Al ser las hojas de esta variedad de yuca más largas y finas tienden a arquearse ligeramente, lo que le aporta un aspecto elegante y moderno.

■ La variedad variegada, al contrario que la verde, **es recomendable cultivarla exclusivamente en interior** ya que, al tener las hojas matices blanquecinos, de ubicarla en el exterior con incidencia directa del sol, podrían verse afectadas y sufrir quemaduras, lo que desluciría el aspecto general de la yuca.

cuidados

■ **Requiere exposiciones en interior bastante luminosas.** Al tener una variegación tan definida en tonos blancos, menor es la capacidad fotosintética de la hoja y, por lo tanto, debe estar más cerca de una fuente abundante de luz. La incidencia del sol a través de la ventana no es recomendable ya que se podrían quemar las hojas.

■ **Los riegos han de ser moderados,** dejando secar la tierra entre riego y riego. Tiene un grueso sistema de raíces que actúa como reserva de agua, lo que le confiere alta resistencia a suelos y entornos secos.

consejos

■ El porte y follaje matizado de esta variedad de yuca son muy característicos y le confieren una elegancia indiscutible. **Cultívala sola, sin otras plantas alrededor que le quiten protagonismo, colocándola en un buen recipiente de barro** que le dé estabilidad al conjunto; para completar la decoración coloca cantos rodados sobre la tierra. Este conjunto lucirá perfectamente en un salón con decoración diáfana donde predominen los tonos blancos y claros.

los matices blanquecinos de sus hojas aportan luminosidad

según va creciendo, las hojas inferiores se secan y el tallo queda al descubierto

deja que la tierra se seque entre riego y riego

Origen: México, híbrido
Luz: de luminoso a muy luminoso, nunca sol directo
Temperatura ideal: 16-25 °C
Temperatura mínima: 3-5 °C
Riego: pc. poco; pd. dejar secar capa superficial entre riegos
Fertilización: pc. cada mes; pd. cada 3 meses

Yuca
variegada

plantas con flores llamativas

Todas las plantas seleccionadas en este capítulo tienen en común una peculiar y hermosa floración. Al contrario que las plantas incluidas en el capítulo de "Plantas resplandecientes y fugaces", las de este capítulo son longevas y poseen flores muy llamativas, aunque éstas sean menos abundantes.

A mí personalmente me apasionan las orquídeas. Es indudable la belleza de sus delicadas y curiosas flores, pero tal vez lo que me haya enganchado al cultivo de las orquídeas es lo fácil de su cultivo. Existe el mito de que son plantas muy difíciles de cuidar, pero os aseguro que si atendéis a los cuidados descritos en las fichas comprobaréis que es muy fácil triunfar con las orquídeas. Ver cómo un *Phalaenopsis* crea nuevas hojas y que de la mata emerge un nuevo tallo de flor me produce mucha felicidad y satisfacción. Considero que es un regalo de la planta a los cuidados ofrecidos en el periodo en que hemos convivido juntos.

El grupo de las bromelias también me apasiona, pero en este caso el atractivo no reside precisamente en la flor, sino en las hojas modificadas que rodean la flor, llamadas brácteas, que adquieren colores muy llamativos: rojos, rosas, amarillos, naranjas... Son el reclamo que la planta utiliza para atraer a los insectos a sus flores.

Si consideramos que estas flores son como los regalos que las plantas nos ofrecen por los buenos servicios prestados, este pensamiento nos conducirá a mimar más las plantas y a obtener mayor número de regalos, es decir, flores.

Recuerda también que en el mercado existen abonos específicos para potenciar la floración de estas plantas. El abono líquido de floración lo mezclaremos semanal o quincenalmente con el agua de riego y gracias a estos nutrientes específicos las floraciones serán más abundantes, intensas y longevas.

Aechmea

AECHMEA FASCIATA

■ El hábitat natural de esta curiosa y elegante planta se encuentra en el suelo de los bosques tropicales. **La aechmea crea una roseta de hojas duras, cubiertas parcialmente por una pelusa blanquecina que le confiere una tonalidad grisácea.** Las hojas se disponen ligeramente arqueadas y del centro de la roseta, cuando la planta tiene más de tres años, surge una inflorescencia de color rosáceo de donde aparecen puntualmente las verdaderas flores, pequeñas y azules, de corta vida. Sin embargo, la inflorescencia dura alrededor de dos meses, generando continuamente nuevas flores.

■ **Es una planta resistente que no presenta problemas de cultivo.** Debido al gran peso que adquiere la inflorescencia y para evitar la caída de la planta es aconsejable colocarla en un recipiente de barro cocido grueso.

cuidados

■ **Requiere lugares luminosos pero no el exceso de sol directo.** Cultivada con poca luz la planta tiende a no florecer y las hojas pierden la tonalidad grisácea que le aportan los pelos que la recubren.

■ **La tierra la mantendremos siempre ligeramente húmeda,** retirando los excedentes de agua del platillo. Es importante observar que la aechmea puede acumular agua en el depósito que se forma en el corazón de la roseta de donde surgen las hojas. Esta reserva natural de agua es imprescindible y nos aseguraremos de que siempre haya unos 2 cm de agua en estos pequeños depósitos.

consejos

■ Tras la floración, la inflorescencia se marchita y veremos que poco a poco toda la planta tiende a secarse. No hay que preocuparse puesto que es el proceso natural de la aechmea, pero observaremos que de la base surgen dos o tres nuevos tallos de hojas. Cuando esto ocurra, hay que eliminar la flor y hojas secas, trasplantando la aechmea a un tiesto mayor y, eso sí, habrá que esperar unos tres años hasta que aparezca una nueva flor.

exposición muy
luminosa, incluso sol
directo

riega el interior de las hojas
para que se acumule agua
en sus bases

Origen: Brasil
Luz: de luminoso a muy
luminoso, nunca sol directo
Temperatura ideal: 23-27 ºC
Temperatura mínima: 9-13 ºC
Riego: pc. moderado;
pd. mantener algo de agua en
el depósito
Fertilización: pc. cada mes;
pd. cada 3 meses

Aechmea

Anturio

ANTHURIUM SCHERZERIANUM

- El anturio tiene **doble interés decorativo,** puesto que **posee unas atractivas, llamativas, duraderas y singulares flores** que visten de color a la planta, y porque **posee unas hojas verdes brillantes** también muy elegantes.

- Las flores son de distintos colores según las variedades, aunque **las más habituales son las de flor roja.** Éstas pueden llegar a durar hasta dos meses, y una vez marchitas, se eliminan desde la base para inducir de esta forma la aparición de nuevas flores.

- **No es una planta de interior fácil** de cultivar ya que es **exigente sobre todo en cuanto a humedad ambiental** y generalmente una casa con calefacción central tiende a tener un ambiente muy seco. Pero si tenemos la paciencia y la perseverancia de pulverizar las hojas del anturio a diario conseguiremos adaptarla al crecimiento en el interior de nuestras casas y se convertirá en una de las plantas de interior más agradecida por su incesante floración.

cuidados

- El anturio exige **entornos muy luminosos** y, por tanto, lo colocaremos cerca de una ventana, donde el sol se filtre a través de una cortina, lo que evitará las quemaduras de las hojas.

- **No tolera el exceso de agua** ya que en condiciones de encharcamiento tiende a amarillear y perder las hojas progresivamente. Regaremos durante el periodo de crecimiento cuando la tierra empiece a secarse, es decir, aproximadamente cada semana, y durante el periodo de reposo regaremos menos.

- Durante la floración, **hay que aportar abono de floración** al agua de riego, lo que provocará el incremento de la aparición de nuevas y majestuosas flores.

consejos

- **Si el anturio está a gusto crecerá sin necesidad de cambio de maceta** hasta crear una mata con pequeños tallos que se van alargando, sin consistencia, lo que provoca el desmoronamiento de la mata. Si habéis llegado a este extremo con vuestro anturio, felicidades, ya que significa que tenéis buena mano con las plantas, y podréis proceder a trasplantarlo enterrando los esquejes de tallos con presencia de raíces aéreas que observéis en la base del anturio.

la floración es continua

exige humedad ambiental alta

riega cuando empiece a secarse la tierra y añádele abono de floración cada 15 días

Origen: Sudamérica
Luz: de poco luminoso a muy luminoso
Temperatura ideal: 16-21 °C
Temperatura mínima: 4-7 °C
Riego: pc. húmedo; pd. dejar secar capa superficial entre riegos
Fertilización: pc. cada 3 semanas; pd. cada 2 meses

Anturio

Guzmania

GUZMANIA LIGULATA

■ La guzmania es sin duda la bromelia con las inflorescencias más llamativas de todas las bromeliáceas. Es una planta originaria de los bosques húmedos de la India y de Sudamérica.

■ **Las hojas son verdes y se disponen en roseta.** En el punto de inserción de las hojas se forma el característico depósito de agua que la mayoría de las bromeliáceas poseen.

■ **Las inflorescencias son de vistosos colores rojizos, anaranjados, rosáceos y amarillentos** dependiendo de las variedades y están compuestas por un tallo central y unas brácteas que se arquean dándole volumen a la inflorescencia y dejando entrever entre bráctea y bráctea las verdaderas flores que, de por sí, son bastantes insignificantes.

■ **Tras la floración,** tanto la inflorescencia como la roseta de hojas **tienden a secarse dando paso a la aparición de nuevos hijuelos** que aseguran la continuidad de la guzmania.

cuidados

■ Es una bromelia de fácil cultivo. No es muy exigente en cuanto a luz, pero **agradece la cercanía de una ventana con cortina** para asegurar una luz tamizada.

■ **Los riegos deben ser moderados** y siempre se realizan dirigiendo la regadera hacia el centro de la roseta, de forma que el agua de los depósitos a pie de la roseta se vaya renovando y consiguiendo que el excedente caiga y mantenga el sustrato siempre ligeramente húmedo. El exceso de riego y encharcamiento ocasionarán la pudrición de la base de las hojas.

consejos

■ Al igual que el resto de las bromelias, **es importante pulverizar la guzmania con agua tibia semanalmente,** y una forma de abonar las bromelias puede ser creando una mezcla de agua con muy poca dosis de abono líquido que agitaremos y pulverizaremos con ella a la planta. Las bromelias tienden a abastecerse de los nutrientes a través de las hojas, por lo que de esta forma ayudamos a la planta a absorber los nutrientes que demanda para un buen crecimiento.

al regar hay que mojar
siempre las hojas para que
se acumule agua en la base

tras la floración, la mata
entera se seca y aparecen
varios hijuelos que tardarán
2-3 años en florecer

Origen: zonas tropicales de
América
Luz: de luminoso a muy
luminoso, nunca sol directo
Temperatura ideal: 17-24 ºC
Temperatura mínima: 7-10 ºC
Riego: pc. moderado;
pd. mantener algo de agua en
el depósito
Fertilización: pc. cada mes;
pd. cada 3 meses

Guzmania

Kalanchoe

KALANCHOE BLOSSFEDIANA

■ **Existen muchas especies de kalanchoes, todas ellas caracterizadas por su resistencia,** pero tal vez la especie más resistente sea el *Kalanchoe blossfediana* con sus particulares hojas carnosas y su colorista y abundante floración.

■ Es una planta crasa, con hojas carnosas que actúan como reserva de agua dándole resistencia ante la sequía. **Los kalanchoes florecen en primavera,** pero habrás observado que en las floristerías y centros de jardinería siempre hay kalanchoes en flor, y esto es debido a que los viveristas alteran las horas de luz del cultivo del kalanchoe emulando una primavera, lo que induce a la floración.

■ Existen **diversas variedades con flores de color rosa, rojo, amarillo, blanco y naranja.** Esta amplia gama de colores hace que sea una planta de flor muy popular y fácil cultivo.

cuidados

■ **El kalanchoe requiere lugares luminosos, incluso con sol directo.** Si el sol incide directamente sobre un kalanchoe cultivado en vivero, observarás que las hojas se oscurecen adquiriendo tonos cobrizos. Si no tiene suficiente luz es posible que se pierda la floración.

■ Al tratarse de una planta crasa con sus propias reservas de agua en las hojas **no requiere muchos riegos;** hay que dejar secar el sustrato parcialmente entre riego y riego.

consejos

■ Si vives en una zona mediterránea seca y sin riesgos de heladas puedes plantar el kalanchoe en el exterior, al abrigo del sol directo. Tras la floración, se trasplanta y se puede sacar a la terraza o balcón protegiéndola del sol, del exceso de agua y de las heladas, y todas las primaveras volverá a florecer. **Hemos observado que los kalanchoes suelen crecer muy bien en el exterior** contra una fachada de la casa protegida por un alféizar.

demandan lugares muy
luminosos, incluso sol directo

hay que dejar secar el
sustrato entre riego y riego

Origen: zonas tropicales de África
Luz: muy luminoso, algo de sol
directo
Temperatura ideal: 16-21 ºC
Temperatura mínima: 4-7 ºC
Riego: pc. moderado; pd. dejar
secar capa superficial entre riegos
Fertilización: pc. cada mes;
pd. cada 3 meses

Kalanchoe

Neoregelia

NEOREGELIA CAROLINAE

■ La neoregelia es una bromelia originaria de Brasil. **Está compuesta por una roseta de hojas de unos 20 cm de altura y 40 cm de ancho.** Las hojas crecen paralelas al suelo y son de color verde brillante con marcadas rayas longitudinales de color blanco, crema y rosa. Tienen los bordes dentados y espinosos. Cuando la planta va a florecer las hojas centrales cogen un tono rojo brillante permanente. Del centro de la roseta de hojas rojas emerge la inflorescencia compuesta por insignificantes florecillas azules. Tras la floración, toda la mata se seca y de los laterales emergen nuevos vástagos que aseguran la supervivencia de la neoregelia, aunque para conseguir una nueva floración de estos vástagos tendremos que esperar de tres a cuatro años.

cuidados

■ La neoregelia **exige bastante luz e incluso agradece varias horas de luz directa,** evitando las horas centrales del día. Al poseer hojas con fuerte variegación demanda más luz para poder realizar la fotosíntesis.

■ **Los riegos han de ser moderados,** dejando que la parte superior de la tierra se seque entre riego y riego, y siempre mantendremos algo de agua en los depósitos centrales que la planta crea entre hoja y hoja.

■ Es **exigente en cuanto a humedad ambiental,** por lo que necesita ser rociada con cierta frecuencia.

consejos

■ Al tratarse de una bromelia con una roseta de hojas el doble de ancha que de alta, **tras la floración debemos dejar un único vástago por tiesto.** De lo contrario, con todos los nuevos tallos creciendo en un mismo tiesto, las hojas se montarían entre ellas y no se apreciaría la elegante arquitectura de la neoregelia. Con los vástagos que eliminamos, si tenemos el cuidado de extraerlos con un poco de raíz, podremos trasplantarlos y conseguir reproducir la planta madre en varios hijos.

riega las hojas para que se acumule agua en la base de éstas

necesita pulverizaciones periódicas

tras la floración, la mata se seca y aparecen 2 o 3 hijuelos

Origen: Brasil
Luz: de luminoso a muy luminoso, nunca sol directo
Temperatura ideal: 16-21 ºC
Temperatura mínima: 4-7 ºC
Riego: pc. moderado; pd. mantener algo de agua en el depósito
Fertilización: pc. cada mes; pd. cada 3 meses

Neoregelia

173

Orquídea tigre

ONCIDIUM Y ODONTOGLOSSUM

■ Los *Oncidium* y los *Odontoglossum* son géneros de orquídeas diferentes, pero muy similares en cuanto a porte y floración. Ambas son originarias de los bosques húmedos de la América tropical, y poseen una mata compuesta por hojas en cuya base observaremos un abultamiento parecido a un bulbo que recibe el nombre de seudobulbo, que la planta utiliza para acumular agua. De este seudobulbo salen dos o tres hojas, y puntualmente emergen desde la base los largos tallos florales, que tienden a ramificarse dando paso a gran número de pequeñas flores muy llamativas.

■ Los colores más habituales de estas flores suelen ser el amarillo y el marrón. **Son orquídeas muy fáciles de cultivar,** por lo que abundan en las floristerías y centros de jardinería.

cuidados

■ Estas orquídeas **exigen mucha luz difusa, evitando el sol directo.** Los riegos tienen que ser moderados, sin dejar que la tierra se seque completamente y evitando el encharcamiento. Cuando empiecen a formarse los nuevos seudobulbos, hay que reducir el riego para evitar podredumbres.

■ **Pulverízala con agua tibia** regularmente para proporcionarle la humedad ambiental alta que exige.

consejos

■ Muchas orquídeas son plantas epifitas que viven adheridas a las copas de los árboles, de donde reciben el agua de lluvia directamente. Si tienes paciencia y quieres darle lo mejor a tus orquídeas, **recoge el agua de lluvia y utiliza ésta tanto para regar como para pulverizar las orquídeas.** El agua blanda de lluvia la puedes mezclar con un poco de abono líquido para plantas delicadas y tus orquídeas lo agradecerán.

tras la floración se corta
el tallo de flor

pulveriza sólo el follaje a
diario

se deja de regar durante 3
semanas cuando emerjan los
nuevos seudobulbos

Origen: Centroamérica, México
Luz: de luminoso a muy luminoso,
nunca sol directo
Temperatura ideal: 16-20 ºC
Temperatura mínima: 5-9 ºC
Riego: pc. moderado; pd. dejar
secar capa superficial entre riegos
Fertilización: pc. cada mes;
pd. cada 3 meses

Orquídea
tigre

175

Orquídea mariposa

PHALAENOPSIS SP.

■ El *Phalaenopsis* u orquídea mariposa es originario de los bosques tropicales húmedos, donde crece en la copa de los árboles. **Hoy en día es una orquídea muy popular, existiendo muchos híbridos con flores de distintos colores,** que normalmente se venden en tiestos de plástico transparente. La transparencia permite que las raíces tengan la luz necesaria para facilitar el cultivo de esta orquídea, ya que sus gruesas raíces pueden realizar la fotosíntesis requiriendo para ello algo de luz. Tiene una mata de tres o cuatro hojas de las que puntualmente emerge un tallo floral que se arquea y llena de llamativas y grandes flores.

■ Es importante conseguir plantas sanas y para ello elegiremos los ejemplares que no tengan raíces secas y con el mayor número de capullos de flor cerrados. De esta forma garantizaremos una floración prolongada.

cuidados

■ Los *Phalaenopsis* **son muy exigentes en cuanto a luz.** Una vez que se pase la floración, colocaremos la planta al pie de una ventana, evitando el sol directo sobre todo en invierno, ya que la incidencia de sol a través de la ventana crea un efecto lupa que quema las hojas.

■ **La regaremos habitualmente,** dejando que drene bien el exceso de agua y retirando el exceso de agua del platillo.

■ Requiere mucha humedad ambiental, por lo que **la pulverizaremos muy frecuentemente y a ser posible a diario, pero sólo las hojas, nunca las flores,** que quedarán estropeadas por las manchas que producen las gotas de agua sobre sus pétalos.

consejos

■ **Yo he triunfado con los *Phalaenopsis* plantándolos en jarrones de cristal.** Llenamos la mitad del jarrón con cantos rodados y la otra mitad con tierra para orquídeas compuesta de gruesos trozos de corteza de pino. Se planta la orquídea, y gracias a la luz que se filtra a través del cristal se activa el crecimiento de nuevas raíces y, en consecuencia, aparecen nuevas hojas y tallos florales. Mantendremos siempre dos o tres dedos de agua en la base del jarrón, sin estar en contacto directo con las raíces, y la colocaremos cerca de una ventana.

tras la floración se corta
el tallo floral

se cultivan en recipientes
transparentes para que las
raíces realicen la fotosíntesis

hay que pulverizar las
hojas una vez al día

Origen: zonas tropicales de Asia
Luz: de luminoso a muy
luminoso, nunca sol directo
Temperatura ideal: 17-23 ºC
Temperatura mínima: 7-10 ºC
Riego: pc. de moderado a
húmedo; pd. dejar secar un poco
entre riegos
Fertilización: pc. cada mes;
pd. cada 3 meses

Orquídea
mariposa

Azalea

RHODODENDRON SIMSII

■ Las azaleas son arbustos de porte medio, y hay variedades de floración primaveral más aptas para el cultivo en exterior y otras de floración invernal muy comunes como plantas de interior debido a su abundante floración. **Existen múltiples variedades con colores rosas, blancos y rojos,** todas ellas muy vistosas y decorativas.

■ Para lograr una floración muy prolongada, **al comprar las azaleas elegiremos aquellas que tengan la mayoría de los capullos florales cerrados,** y tras la floración la trasplantaremos utilizando un sustrato de tierra ácida y la sacaremos al exterior dejándola en un lugar sombrío y fresco hasta el otoño.

cuidados

■ Lo más importante para la azalea es asegurarnos de que **la tierra está siempre húmeda.** Nos aseguraremos de que en el platillo con gravilla del fondo nunca falte agua que le cree humedad ambiental.

■ **Es una planta que prefiere temperaturas frescas en torno a 16-18 ºC.** Ubicada en entornos muy cálidos, su floración dura poco. Otra forma de prolongar la floración es evitar que el sol incida directamente sobre la flor a través de la ventana, ya que la flor se marchitará con rapidez.

consejos

■ Si tenemos agua dura en casa, con alto contenido en cal, podremos rebajar el pH del agua añadiendo un chorrito de vinagre al agua de riego, lo que contribuirá a un mejor desarrollo y subsistencia de la azalea.

tras la floración agradece
ser cultivada en un
balcón orientado al norte

hay que utilizar sustrato ácido
al trasplantarla

el sustrato siempre tiene
que estar húmedo

Origen: China, híbrido
Luz: de luminoso a muy
luminoso, nunca sol directo
Temperatura ideal: 13-17 °C
Temperatura mínima: 0-3 °C
Riego: abundante, evitar
encharcamientos
Fertilización: pc. cada 3
semanas; pd. cada 2 meses

Azaleas

Cactus de Navidad

SCHLUMBERGERA X BUCKLEYI

■ El cactus de Navidad está emparentado con el cactus de Pascua (*Rhipsalidopsis*), floreciendo intensamente durante los meses invernales y coincidiendo con la Navidad. Es una planta **muy fácil de cultivar, con tallos planos compuestos de segmentos con bordes dentados.** De cada segmento aparecen nuevos tallos y con el tiempo la planta no puede mantenerse erguida y adquiere un porte colgante, quedando el tallo arqueado.

■ Las flores surgen de los extremos de los tallos en invierno, y **aunque el color más habitual sea el rosa, también hay variedades de color rojo y blanco.** Cada flor está compuesta por varios pétalos flechados que crean una forma acampanada de cuyo centro emergen los estambres.

cuidados

■ El cactus de Navidad **necesita abundante luz,** por lo que agradece estar colocado al pie de una ventana. **El riego debe ser abundante cuando la planta está creando nuevos segmentos,** no dejando que se seque la tierra. Se reduce el riego durante el resto del año, y tras la floración dejaremos un periodo de unos dos meses sin regar. A pesar de ser una cactácea, es bastante exigente en agua durante el crecimiento.

consejos

■ Para triunfar con el cactus de Navidad, **tras la floración lo colocaremos en un lugar fresco del hogar,** reduciendo los riegos y dándole de esta forma el reposo exigido por esta cactácea.

■ **Durante el verano sacaremos el cactus de Navidad a un balcón colocándolo en un lugar sombrío.** Esta alternancia en su cultivo, sacándolo al exterior, potenciará una mayor floración invernal. Y te recuerdo que también resulta muy fácil de reproducir mediante esquejes de hoja.

los tallos tienden a
arquearse

las flores aparecen en
invierno

a pesar de ser una planta
crasa necesita riegos
moderados durante el
crecimiento

Origen: zonas tropicales
Luz: muy luminoso, algo de sol
directo
Temperatura ideal: 16-21 ºC
Temperatura mínima: 3-6 ºC
Riego: pc. moderado; pd. dejar
secar capa superficial entre riegos
Fertilización: pc. cada mes;
pd. cada 3 meses

Cactus
de Navidad

Espatafilo

SPATHIPHYLLUM WALLASII

■ El espatifilo, debido a lo fácil de su cultivo, su verdor y sus atractivas flores blancas, resulta una planta obligatoria en todos los hogares.

■ La mata está compuesta por una serie de hojas de tamaño medio y color verde intenso brillante, y del pecíolo que une la hoja con la base de la roseta emergen puntualmente durante todo el año las características flores blancas en forma de espata. **El contraste de la flor blanca sobre el fondo verde del follaje resulta muy elegante y decorativo.**

■ El espatifilo, **además de su valor estético, es una planta que ayuda a purificar el ambiente de los hogares.** Tiene gran capacidad para eliminar los contaminantes que se acumulan en nuestro hogar, lo que unido a su elegancia, floración y resistencia lo convierte en una planta de interior obligatoria en todos los hogares.

cuidados

■ El espatifilo **exige bastante luz para poder crecer y florecer,** aunque puede sobrevivir en zonas poco iluminadas. El sol directo amarillea y quema sus hojas.

■ **La tierra ha de mantenerse siempre húmeda durante el crecimiento,** y en invierno se deben reducir los riegos, dejando que se seque la capa superficial del sustrato.

■ **Requiere ser pulverizada con frecuencia** para aportarle la humedad ambiental que demanda.

consejos

■ El espatifilo es una de las pocas plantas de interior que florece durante todo el año. **Cuando la flor comienza a marchitarse hay que podarla 2 o 3 centímetros por encima de la unión con la hoja.** Pasado un mes, el tallo que dejamos se habrá secado y entonces podremos tirar de él y extraerlo sin ningún problema de resistencia e induciendo de esta manera a una ininterrumpida floración.

las flores, una vez marchitas, han de eliminarse

evita el sol directo que amarilleará y quemará las hojas

hay que mantener la tierra ligeramente húmeda

Origen: Sudamérica
Luz: de luminoso a muy luminoso, nunca sol directo
Temperatura ideal: 16-21 °C
Temperatura mínima: 4-7 °C
Riego: pc. moderado; pd. dejar secar capa superficial entre riegos
Fertilización: pc. cada 3 semanas; pd. cada 2 meses

Espatafilo

Orquídea aérea

VANDA SP.

■ Esta espectacular orquídea aérea es originaria del sudeste asiático, existiendo gran número de híbridos con espectaculares flores provenientes de Tailandia. En este país existe gran afición al cultivo de orquídeas y la gente las cuelga de los árboles en el jardín, donde gracias a las temperaturas altas y humedad ambiental florece varias veces al año.

■ Es una orquídea que, de forma natural, crece en la copa de los árboles, siendo una orquídea epífita, es decir, que **no necesita tierra para crecer.** Extrae los nutrientes directamente de la humedad ambiental con la ayuda de unos hongos radiculares, micorrizas, con los que vive simbióticamente.

■ La planta está compuesta por un pequeño tallo rodeado de hojas de cuyas inserciones emergen los tallos florales, **siendo las flores de distintos tamaños y colores dependiendo de la variedad.** La otra parte la constituyen las raíces, largas y gruesas, que caen a modo de cortina.

cuidados

■ La orquídea *vanda* es exigente en cuanto a luz dentro del hogar, por lo que la **colocaremos cerca de una ventana con cortina para evitar la incidencia de sol directo** que quemaría sus hojas. Si no tiene suficiente luz dejará de crecer y no aparecerán nuevas flores.

■ Obviamente, es imposible regar esta orquídea ya que carece de sustrato, pero es muy exigente en cuanto a humedad ambiental, y **tendremos que pulverizarla por lo menos dos veces al día.** Evitar temperaturas frías y corrientes.

consejos

■ **Si tienes una casa con ambiente seco, desiste de adquirir una orquídea *vanda*.** Sin embargo, si tu casa es húmeda y eres apasionado de la jardinería, dale una oportunidad a esta espectacular y original orquídea. Una forma de activar su crecimiento es añadiendo unas pocas gotas de abono de guano líquido en el agua del pulverizador. De esta forma, con cada pulverización aportaremos una microdosis de nutrientes que la planta agradecerá creando nuevas hojas y flores.

las raíces aéreas demandan
altísima humedad ambiental,
pulverízalas 2 o 3 veces al
día con agua de lluvia tibia

Origen: zonas tropicales
Luz: de luminoso a muy
luminoso, nunca sol directo
Temperatura ideal: 16-20 ºC
Temperatura mínima: 5-9 ºC
Riego: pc. moderado; pd. dejar
secar capa superficial entre riegos
Fertilización: pc. cada mes;
pd. cada 3 meses

Orquídea
aérea

185

Vriesea

VRIESEA SPLENDENS

■ Esta elegante bromelia es originaria de Venezuela, donde vive inmersa en los bosques tropicales. Posee una roseta de hojas rígidas, de color verde azulado con amplias franjas transversales de verde oscuro. Del centro de la roseta surge una espiga floral de color rojo intenso y de estas brácteas salen puntualmente las flores verdaderas, de color amarillo y de breve duración. Sin embargo, la espiga floral puede durar hasta dos meses con plena intensidad de color.

■ Para conseguir que el interés de la vriesea perdure el máximo **es importante seleccionar una planta donde veamos que la espiga de flor está emergiendo.** De esta forma se prolonga considerablemente la duración de la floración en nuestra casa.

cuidados

■ De todas las bromelias seguramente la vriesea sea la de cultivo más fácil. **Hay que destinarle un rincón del hogar bien iluminado, evitando el sol del mediodía.** Al tratarse de una bromelia que crece en el suelo de los bosques tropicales, necesita un sustrato siempre húmedo, pero sin pasarse porque un excesivo encharcamiento la ahogaría y, eso sí, nos aseguraremos de que nunca le falte agua en el depósito que crea la planta entre hoja y hoja.

■ Tras la floración, la roseta de hojas muere para emerger **nuevos brotes que aseguran la continuidad de la planta, aunque ésta tarde entre tres y cuatro años en volver a florecer.**

consejos

■ **Riega la vriesea dirigiendo la punta de la regadera al corazón de la roseta de hojas.** De esta forma nos aseguramos de que los depósitos que quedan entre hoja y hoja mantengan un centímetro de agua, cayendo el excedente de agua al sustrato; si vemos que tras el riego el agua drena y se acumula en el platillo de base, procederemos a eliminar el excedente de agua.

necesita una exposición
muy luminosa

hay que regar siempre el
interior de las hojas

mantén el sustrato siempre
húmedo sin llegar a
encharcarlo

Origen: zonas tropicales de
América
Luz: de luminoso a muy
luminoso, nunca sol directo
Temperatura ideal: 16-21 ºC
Temperatura mínima: 4-7 ºC
Riego: pc. de poco a
moderado; pd. dejar secar capa
superficial entre riegos
Fertilización: pc. cada mes;
pd. cada 3 meses

Vriesea

Orquídea

ZYGOPETALUM SP.

■ El *Zygopetalum* es un género de orquídeas procedentes de los bosques húmedos tropicales de Brasil. **Aunque no sea tan común como otras orquídeas, su cultivo resulta bastante fácil,** por lo que está adquiriendo cada vez más popularidad.

■ Está compuesta por una mata poco densa formada por varios seudobulbos basales de los que emergen las hojas de tamaño medio y con forma ligeramente curvada. Adheridos al seudobulbo basal emergen los cortos tallos de flor que suelen disponer de entre cuatro a seis flores de formas llamativas. Existen muchas variedades distintas, con flores de colores no llamativos, pero con decorativos e interesantes dibujos. Es muy fácil de cultivar si se atienden un mínimo de cuidados.

cuidados

■ Los *Zygopetalum*, como la mayoría de las orquídeas, **exigen mucha luz y temperaturas constantes.** Colócala cerca de una ventana, controlando las posibles quemaduras en las hojas por el efecto lupa creado por la luz solar al atravesar el cristal de la ventana.

■ **La regaremos periódicamente** sin dejar que llegue a secarse del todo y asegurándonos posteriormente de eliminar el agua sobrante del platillo.

consejos

■ El *Zygopetalum* es una orquídea agradecida que crece con bastante rapidez. **Cuando observes que se está formando un pequeño seudobulbo deja de regar la planta durante tres semanas.** El seudobulbo de la base de la planta actúa como reserva de agua, por lo que su acumulación excesiva puede llegar a pudrirla. Por tanto, ten en cuenta este consejo y en cuanto observes la creación de nuevos bulbillos no riegues durante tres semanas.

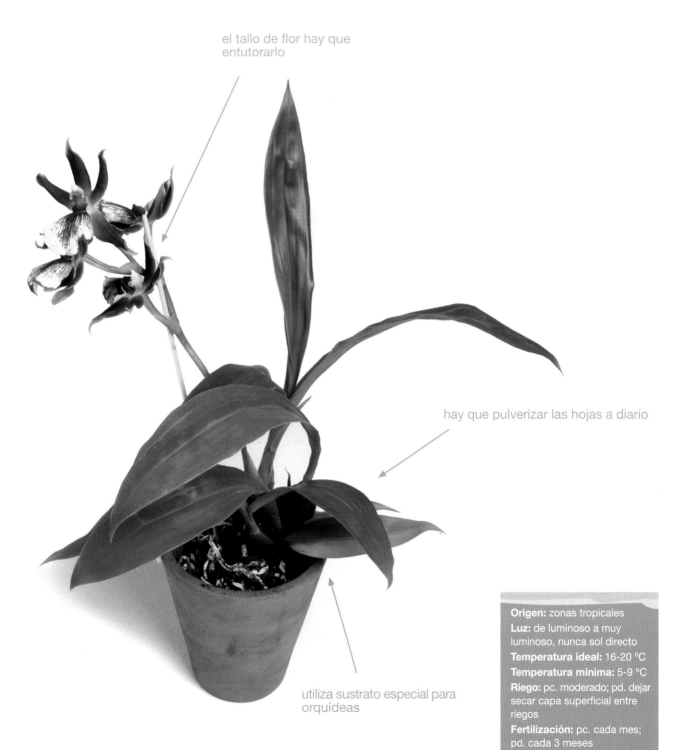

el tallo de flor hay que entutorarlo

hay que pulverizar las hojas a diario

utiliza sustrato especial para orquídeas

Origen: zonas tropicales
Luz: de luminoso a muy luminoso, nunca sol directo
Temperatura ideal: 16-20 ºC
Temperatura mínima: 5-9 ºC
Riego: pc. moderado; pd. dejar secar capa superficial entre riegos
Fertilización: pc. cada mes; pd. cada 3 meses

Orquídea

plantas pequeñas con encanto

Dentro de este capítulo hemos seleccionado las plantas de interior de reducido tamaño pero con mucho salero. Ocupan poco y tienen mucho encanto y, por tanto, no tenemos excusa para no destinarles un miniespacio en nuestras casas. Los que viváis en pequeños apartamentos, adquirir unas cuantas plantitas pequeñas y veréis cómo conseguís alegrar la vida de esos espacios tan reducidos.

Son plantas que no requieren mucha tierra y no suele ser necesario trasplantarlas. Pesan poco y son fáciles de mover, por lo que podremos ir alternando su posición dentro de la casa. Por ejemplo, cuando estén en su máximo esplendor las colocamos sobre la mesa del salón o comedor, y en los períodos de reposo y menos interés estético las podemos colocar en un lugar menos vistoso.

Las podemos cultivar solas o utilizarlas para cubrir la base de la tierra de otras plantas de mayor tamaño. A mí me gusta agruparlas de tres en tres. Selecciono tres tiestos o recipientes acordes a la decoración general de la sala, las trasplanto y las coloco las tres juntas. El efecto logrado es muy armonioso.

Si no tenéis cortinas y queréis poner alguna planta al pie de la ventana, podréis elegir entre los cactus de pequeño porte. Éstos necesitan ese sol directo para crecer sanos y compactos.

Son muchas las plantas pequeñas y saladas que podemos cultivar en casa. Aquí tenéis una selección variada y seguro que encontráis alguna que satisfaga vuestras necesidades decorativas. Aunque sean pequeñas, bien se merecen un rincón en nuestros hogares y vidas.

plantas pequeñas con encanto

Culantrillo

ADIANTUM RADDIANUM

■ El culantrillo es un pequeño helecho compuesto por unas hojas finas y elegantes, de pecíolo negro y pequeños y redondos foliolos. **Es un helecho muy popular debido a su pequeño tamaño y a la frescura que aportan sus hojas.**

■ El culantrillo también es conocido por el nombre de hierba de las fuentes y la razón de este nombre reside en que **de forma natural suele crecer junto a las fuentes.** Las continuas salpicaduras de las gotas de agua crean las condiciones óptimas de humedad para que el culantrillo pueda germinar y crecer. Según va creciendo sus raicillas van apoderándose de las superficies rocosas y tienden a expandirse creando grandes matas de culantrillo. Los depósitos de cal que se forman junto a las fuentes de las que emanan las aguas calcáreas también suelen ser colonizados íntegramente por el culantrillo.

cuidados

■ El culantrillo es un helecho que exige luz moderada. **Su mayor enemigo es el sol directo unido a la escasez de agua.** En estas condiciones, sus jóvenes y frágiles hojas se secan inmediatamente.

■ Es muy exigente en cuanto a agua, **hay que mantener el sustrato continuamente húmedo.** También exige una alta humedad ambiental, por lo que debe ser pulverizado muy regularmente.

consejos

■ El culantrillo **es la planta ideal para adornar un cuarto de baño.** Si tu cuarto de baño tiene luz natural, seguramente la ventana dará a un patio o estará orientada a donde no entra sol directo. Al pie de esta ventana coloca un culantrillo, y gracias a los continuos riegos y la humedad aportada por las duchas diarias, el culantrillo crecerá feliz.

requiere humedad ambiental
alta, es decir,
pulverizaciones diarias

necesita luz moderada

el sustrato siempre tiene
que estar húmedo

Origen: América tropical
Luz: de luminoso a muy
luminoso, nunca sol directo
Temperatura ideal: 15-20 °C
Temperatura mínima: 5-7 °C
Riego: abundante, evitar
encharcamientos
Fertilización: pc. cada 2
semanas; pd. cada 2 meses

Culantrillo

Oreja de elefante mir

ALOCASIA "POLLY"

■ La *Alocasia* "Polly" es una variedad enana de oreja de elefante, muy práctica debido a su porte contenido que no supera los 25 cm de altura. La variedad normal de oreja de elefante, tal como la hemos descrito en el capítulo de "Plantas de hoja grande", alcanza el metro y medio de altura, arqueando sus enormes hojas y exigiendo gran espacio para lucir su belleza. La ventaja de la *Alocasia* "Polly" es que **al ser una plantita pequeña no nos exige tanto espacio,** y será más fácil encontrarle un rincón en el hogar donde pueda lucirse con alegría.

■ Cada mata de esta mini oreja de elefante suele tener simultáneamente entre cinco o seis hojas aflechadas. La cara superior de la hoja tiene la nerviadura coloreada en un verde-blanquecino que contrasta fuertemente sobre el resto de la hoja de color verde oscuro brillante. La parte posterior de la hoja es de color verde-morado. **Podría llegar a florecer, pero las flores son insignificantes y carentes de interés.**

cuidados

■ Esta oreja de elefante enana **exige mucha luz pero se tiene que proteger del sol directo.** La incidencia del sol a través del cristal quema las hojas irremediablemente, desluciendo la planta. Si la oreja de elefante no tiene suficiente luz alargará las hojas, tendiendo a desmoronarse malamente.

■ La tierra tiene que estar húmeda durante la época de crecimiento de primavera y verano, y en invierno es mejor darle un periodo de reposo y reducir los riegos. **Hay que pulverizarla con frecuencia** ya que es exigente en humedad ambiental y agradece ser abonada quincenalmente en primavera y verano.

consejos

■ Si no tienes tiempo para estar pulverizando esta oreja de elefante mini continuamente, una forma de crear una fuente de humedad ambiental es colocar una bandeja de plástico poco profunda y cubrirla con gravilla. Sobre la gravilla agrupa las plantas que exigen humedad ambiental, como la oreja de elefante mini, la soleirolia… Mantén un par de dedos de agua en la bandeja, y según se evapore creará un microclima húmedo en su entorno que aportará la humedad ambiental exigida por las plantas.

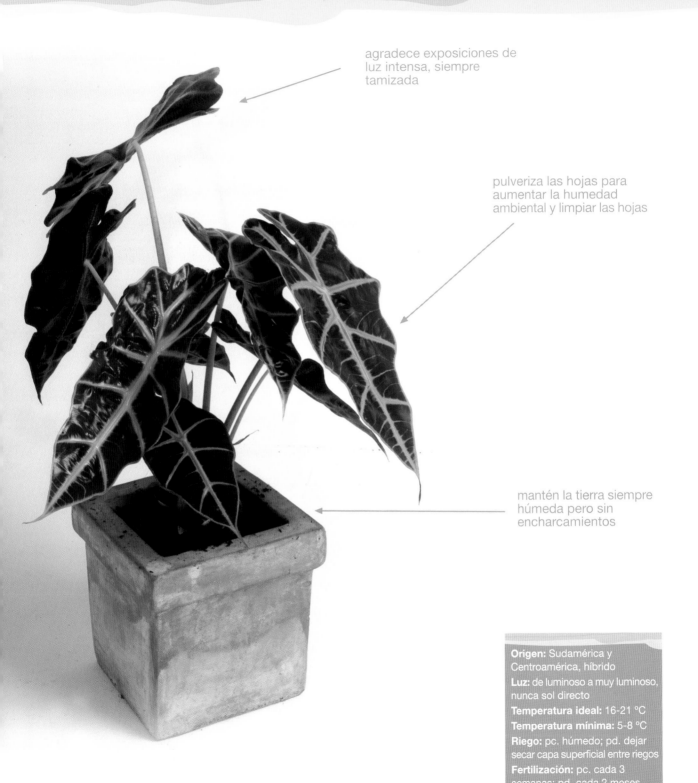

agradece exposiciones de luz intensa, siempre tamizada

pulveriza las hojas para aumentar la humedad ambiental y limpiar las hojas

mantén la tierra siempre húmeda pero sin encharcamientos

Origen: Sudamérica y Centroamérica, híbrido
Luz: de luminoso a muy luminoso, nunca sol directo
Temperatura ideal: 16-21 °C
Temperatura mínima: 5-8 °C
Riego: pc. húmedo; pd. dejar secar capa superficial entre riegos
Fertilización: pc. cada 3 semanas; pd. cada 2 meses

Oreja de elefante mini

Echeveria

ECHEVERIA SECUNDA "GLAUCA"

■ Esta echeveria **es una planta suculenta caracterizada por poseer hojas carnosas donde la planta acumula una reserva de agua.** Las hojas se disponen en torno a una roseta y le confieren una imagen ordenada, equilibrada y muy escultural. De la mata central pueden aparecer nuevos hijuelos, por lo que la echeveria tiende a extenderse creando matas de varias rosetas compactas de un color verde azulado muy característico.

■ **En primavera, del centro de la roseta de hojas aparecen los tallos de flor.** Éstos tienen una altura de unos 15 cm y se cubren de flores con forma de campanilla en tonos rojo anaranjados.

■ Tras la floración se eliminan los tallos florales secos para no quitar protagonismo a la fuerza estructural de la roseta de hojas.

cuidados

■ Como todas las crasuláceas, la echeveria es exigente en cuanto a luz, siendo **necesario el sol directo** para que la mata mantenga el aspecto compacto deseado.

■ **Hay que regarla poco,** dejando que se seque el sustrato del todo aunque si nos pasamos con el agua no pasará nada ya que es una planta originaria de zonas montañosas húmedas de México y, por tanto, tolera puntualmente un posible exceso de agua.

consejos

■ Sus hojas son muy frágiles y tienden a romperse desde la base con facilidad. A la hora de manipular la echeveria, **hay que tener todo el cuidado del mundo para evitar que las hojas se fracturen,** ya que el interés de esta planta reside en mantener la roseta de hojas completa y sana.

tras la floración primaveral
se cortan los tallos florales

la roseta de hojas
dispuestas
geométricamente es muy
decorativa

riegos moderados
puntuales

Origen: México
Luz: muy luminoso, algo de sol
directo
Temperatura ideal: 16-21 ºC
Temperatura mínima: 4-7 ºC
Riego: pc. poco; pd. dejar secar
capa superficial entre riegos
Fertilización: pc. cada mes;
pd. cada 3 meses

Echeveria

Cactus injertados

GYMNOCALYCIUM MIHANOVICHII

■ Los cactus injertados seguramente serán **una de las plantas pequeñas de interior más saladas que podamos encontrar.** La planta está compuesta por dos partes: la base la constituye un tallo verde de una variedad de cactus sobre la que se injertan los globos rojos, amarillos, naranjas y rosas del *Gymnocalycium*.

■ No alcanzan gran tamaño y normalmente en los globos coloristas de la parte superior aparecen nuevos hijuelos, lo que le confiere un aspecto muy original y decorativo. Se puede cultivar en asociación con otros cactus, pero **es mejor plantarlos individualmente en tiestos pequeños y gruesos de barro cocido.** Sobre el sustrato podremos colocar un poco de gravilla, lo que le dará estabilidad a este pequeño cactus que a veces tiende a inclinarse por el peso que supone el globo superior.

cuidados

■ Necesitan mucha luz, pero al contrario que otros cactus que crecen bien con el sol directo, **un exceso de sol sobre el *Gymnocalycium* podrá dañar el globo superior de delicados colores.**

■ **Como todos los cactus, requiere pocos riegos,** dejando secar la tierra entre riego y riego, y agradece ser abonado con abono especial para cactus.

consejos

■ Si sois personas curiosas y aficionadas a la jardinería **podréis intentar injertar estos cactus vosotros mismos.** Esquejad primero un cactus de tallo verde cortando trozos de unos 10 cm, dejar secar las heridas y colocarlos en tierra. Cuando éstos hayan enraizado, realizamos una pequeña incisión en la parte superior y colocamos un hijuelo que habremos extraído del globo superior de un cactus que tengamos ya injertado. Simplemente nos aseguraremos de que queden unidos ambos, y con el paso del tiempo se soldarán obteniendo nuestros propios cactus injertados.

demandan mucha luz, pero
no sol directo

con los hijuelos que caen
podemos realizar nuevos
injertos

cuando la tierra se seque
se riega, añadiendo
abono para cactus
puntualmente

Origen: México
Luz: de luminoso a muy luminoso,
nunca sol directo
Temperatura ideal: 18-24 °C
Temperatura mínima: 2-4 °C
Riego: pc. moderado; pd. dejar
secar capa superficial entre riegos
Fertilización: pc. cada mes;
pd. cada 3 meses

Cactus
injertados

Ginura

GYNURA "PASIÓN PÚRPURA"

■ La ginura "Pasión púrpura" es una pequeña planta de interior con porte rastrero que no supera los 15 cm de altura. Posee unas hojas de color verde medio cubiertas totalmente por un denso vello de color morado. Los tallos, al igual que las hojas, están recubiertos por estos pelillos morados, siendo precisamente el color que aporta este vello el atractivo de esta planta. **Para realzar el efecto de este color es interesante colocarla cerca de una ventana,** ya que al observarla a contraluz se realza la intensidad del color morado.

■ **En primavera aparecen unas pequeñas e insignificantes flores amarillo anaranjadas que han de ser eliminadas,** ya que carecen de interés y además desprenden mal olor.

■ La iridiscencia del vello morado que cubre a la ginura hace que pueda cultivarse ella sola, pero también permite ser cultivada en asociación con otras plantas de mayor porte, cubriendo totalmente la base del tiesto.

cuidados

■ Para realzar la coloración intensa de los tallos exige entornos muy luminosos. Con poca luz, el color morado de los tallos tiende a apagarse perdiendo el atractivo innato de la ginura. **Colócala cerca de una fuente de luz tamizada intensa.**

■ **Los riegos serán moderados,** dejando secar la tierra entre riego y riego y no requiere ser pulverizada, ya que el exceso de agua acumulada por el vello puede activar posibles ataques de hongos y, como consecuencia, pudriciones de hojas y tallo.

consejos

■ Si te ha cautivado la intensidad y brillo del color morado de la ginura y aciertas con su cultivo verás que la ginura tiende a extenderse quedando el centro de la planta despoblado de hojas y, por tanto, deslucido. Para potenciar la aparición de nuevos tallos en la base de la planta hay que podar tallos alargados, esquejando éstos y plantando los esquejes ya enraizados en el mismo recipiente. **A mayor densidad de plantitas mayor número de nuevos brotes y, por tanto, mayor será su atractivo.**

las hojas están cubiertas por unos pelos iridiscentes de color púrpura

es una planta de porte rastrero

riégala con moderación, dejando secar la tierra entre riego y riego

Origen: híbrido
Luz: muy luminoso, algo de sol directo
Temperatura ideal: 16-21 ºC
Temperatura mínima: 4-7 ºC
Riego: pc. moderado; pd. dejar secar capa superficial entre riegos
Fertilización: pc. cada 3 semanas; pd. cada 2 meses

Ginura

Ludisia

LUDISIA DISCOLOR

■ La ludisia es una magnífica planta de interior de pequeña envergadura, compuesta por unos tallos carnosos que tienden a erguirse y de los que salen unas pequeñas hojas muy decorativas. Éstas poseen un color de base granate y están marcadas por unas líneas longitudinales de color rojizo más claro. Las hojas están cubiertas por un fino vello, lo que le otorga una textura aterciopelada. La mata no suele ser muy densa, por lo que las hojas no se montan entre sí.

■ Además del atractivo color y dibujo de sus hojas, **la ludisia se caracteriza por su elegante floración.** De la coronación de los tallos emerge el tallo floral, que alcanza 30 cm de altura y queda cubierto por pequeñas flores blancas.

■ El doble interés de su follaje y floración hace que sea una planta de interior pequeña cuyo cultivo se merece un espacio en nuestros hogares.

cuidados

■ A la ludisia **le gustan los espacios con mucha luz difusa. El sol directo dañaría el dibujo de sus hojas,** por lo que la colocaremos cerca de una ventana con cortina.

■ **Los riegos tienen que ser moderados,** regando la tierra cuando observemos que la parte superior se ha secado. Un exceso de agua provocará que sus carnosos tallos se pudran.

consejos

■ **Te aconsejo cultivar la ludisia sola** para poder gozar del doble interés de hoja y flor. Pero también la puedes plantar en la base de otras plantas de mayor envergadura y con tallo desnudo.

■ **Si ves que la flor tiende a caerse, coloca un pequeño tutor de madera,** y si pasado un tiempo la mata tiene suficiente densidad, la puedes multiplicar fácilmente dividiendo la mata en dos.

tras la floración se poda el tallo floral para incentivar la formación de nuevas flores

sus hojas tienen un impresionante color oscuro aterciopelado

hay que regarla cuando la tierra empiece a secarse

Origen: sudeste asiático, zona tropical
Luz: de luminoso a muy luminoso, nunca sol directo
Temperatura ideal: 16-21 °C
Temperatura mínima: 4-7 °C
Riego: pc. moderado; pd. dejar secar capa superficial entre riegos
Fertilización: pc. cada 3 semanas; pd. cada 2 meses

Ludisia

Mamilaria

MAMMILLARIA ELONGATA

■ Este pequeño y salado cactus está compuesto por varios tallos cilíndricos o globulares que dan origen a una mata densa y redondeada.

■ Estos tallos están cubiertos por un fino vello sedoso de color blanco y entre este vello despuntan las características espinas, en este caso de color marrón amarillento. Estas espinas son afiladas y rígidas, por lo que manipularemos la mamilaria con extremo cuidado para no dañarnos con las espinas.

■ Las mamilarias en general son cactus que **florecen en abundancia durante la primavera.** Las flores aparecen concentradas creando un anillo cerca de la coronación de los tallos y son de corta duración.

cuidados

■ Como todos los cactus, la mamilaria **exige exposiciones soleadas, cerca o al pie de una ventana con abundancia de luz.** Con poca luz, los tallos tienden a alargarse en exceso y la mata pierde el porte compacto y globosidad característica, acabando de consumir las reservas del cactus y muriendo posteriormente. Además, si no posee suficiente luz dejará de florecer en primavera.

■ **Los riegos deben ser moderados, y puntualmente cada 20-25 días** regaremos la mamilaria añadiéndole al agua de riego la dosis correspondiente de abono líquido específico para cactus.

consejos

■ A la hora de plantar la mamilaria, **se trasplanta usando tierra de cactus en recipientes de barro moldeados a mano.** Estos recipientes tienen un aspecto rústico que complementará el interés ornamental de las mamilarias. Otra idea decorativa elegante es crear un grupo de tres tiestos con mamilaria. La composición con tres pequeños tiestos realzará el potencial estético de este pequeño cactus.

mucha luz, incluso sol
directo

crea una mata llena de tallos
compactos y esféricos
cubiertos por pinchos

como todos los cactus, hay
que regarlos puntualmente

Origen: México
Luz: muy luminoso, algo de sol
directo
Temperatura ideal: 17-21 ºC
Temperatura mínima: 4-7 ºC
Riego: pc. de poco a moderado;
pd. dejar secar capa superficial
entre riegos
Fertilización: pc. cada mes;
pd. cada 3 meses

Mamilaria

205

Nertera

NERTERA GRANADENSIS

- La nertera **es una planta de porte rastrero que apenas se levanta 10 cm** del suelo y tiende a crecer a lo ancho, cubriendo poco a poco la superficie de la tierra donde se ha plantado.

- Posee pequeñas hojas circulares y carnosas engarzadas en numerosos tallos finos que se entrelazan entre sí formando una espesa maraña. A principios de verano da unas pequeñas flores blanco-verdosas que dan lugar a numerosas bayas de color naranja intenso que cubren por completo la nertera.

- Cuando la planta está sin bayas se puede confundir con la soleirolia ya que ambas presentan un crecimiento y follaje muy parecidos. Posee unas raíces muy superficiales, por lo que no suele requerir macetas grandes. La podemos utilizar como elemento decorativo aislado o como planta basal asociada con otro tipo de plantas de interior que requieran cuidados similares.

cuidados

- Aunque parezca una planta delicada y de entornos sombríos, **la nertera necesita mucha luz, e incluso algo de sol directo.**

- **No tolera ambientes demasiado cálidos,** siendo la temperatura máxima óptima de entre 18 y 20 °C.

- Al contrario que la soleirolia, la nertera **no necesita muchos riegos,** siendo aconsejable dejar secar la tierra entre riego y riego. Agradece algo de pulverización de agua tibia y también el que se abone puntualmente.

consejos

- Es habitual comprar una nertera llena de bayas naranjas y ver que, tras pasar un tiempo considerable, la planta no vuelve a dar frutos. **Para lograr la formación anual de bayas aconsejo sacarla al balcón,** colocándola en primavera, cuando veas que la planta comienza a florecer, en una zona protegida y con un poco de sol.

- La temperatura fresca del exterior permite que se polinicen las flores formándose las bayas, que al principio son verdes y pasado un tiempo empiezan a ponerse naranjas. Es el momento de meterla dentro de casa.

necesita mucha luz, incluso algo de sol directo

hay que regarlas moderadamente

agrupadas de tres en tres quedan muy bien

Origen: Sudamérica, Australia
Luz: muy luminoso, algo de sol directo
Temperatura ideal: 11-17 °C
Temperatura mínima: 1-3 °C
Riego: pc. moderado; pd. dejar secar capa superficial entre riegos
Fertilización: pc. cada 3 semanas; pd. cada 2 meses

Nertera

207

Pachifito

PACHYPHYTUM COMPACTUM

■ El pachifito es una pequeña y original planta crasa que **podemos cultivar fácilmente en nuestras casas.** Es originaria de las zonas desérticas de México, y como toda planta crasa ha desarrollado la capacidad de tolerar las altas temperaturas y largos periodos de sequía gracias a las reservas de agua que almacena en el interior de sus hojas.

■ Crea una mata compacta en roseta, de donde salen gran cantidad de pequeñas y cilíndricas hojas de color verde claro. **La mata raramente supera los 10 cm de altura y es de crecimiento muy lento.**

■ En primavera, de entre los espacios que quedan entre hoja y hoja, emergen unos finos y delicados tallos florales, con flores insignificantes, pero que en conjunto le aportan a esta pequeñita planta crasa un aire peculiar y original.

cuidados

■ Su origen desértico nos aporta las claves básicas para su correcto cultivo: **mucha luz y poco agua.** Cuanta más luz, incluso sol directo, le aportemos, mejor crecerá, y más compacta y densa se mantendrá la mata de hojas carnosas.

■ **Es mejor pecar de defecto que de exceso de agua,** por lo que puntualmente le aportaremos un poco de agua.

consejos

■ El pachifito **me gusta cultivarlo en un tiesto de barro cocido con forma de cono.** El trasplante lo realizaremos con tierra especial para cactus, que contiene más arena y, por tanto, drena mejor. Asocia tres macetas cónicas pequeñas con un pachifito en cada una y colócalas al pie de una ventana bien soleada. La forma semiesférica de la planta con el porte cónico del tiesto crea un efecto de helado de cucurucho muy original y decorativo.

demanda mucha luz,
incluso sol directo

las hojas carnosas llenas de
agua crean una mata
compacta

hay que regarla con
moderación cuando se
seque la tierra

Origen: México
Luz: sol directo
Temperatura ideal: 17-21 °C
Temperatura mínima: 4-7 °C
Riego: pc. de poco a moderado;
pd. dejar secar capa superficial
entre riegos
Fertilización: pc. cada mes;
pd. cada 3 meses

Pachifito

209

Pimentero

PEPEROMIA CAPERATA

■ El pimentero es una pequeña plantita de interior compuesta por una roseta de abundantes hojas que alcanzan 10 cm de altura, y **el atractivo de esta planta reside en la marcada nervadura de sus hojas.** Éstas pueden tener diversas tonalidades verde oscuras, siendo la parte superior de la hoja de un color y la parte inferior de color más cobrizo.

■ Sus flores se concentran en torno a unas espigas florales erguidas que sobresalen de la roseta de hojas y suelen ser de color blanquecino. El contraste de la verticalidad de las flores blancas en contraposición a la roseta de hojas fuertemente nervadas completa el atractivo e interés de esta pequeña planta de interior.

cuidados

■ El pimentero no es exigente en cuanto a luz. **Evitando el sol directo crecerá perfectamente en un entorno con luz moderada.** La tierra no tiene que estar empapada, por lo que realizaremos riegos moderados dejando secar la mitad superior del sustrato entre riego y riego. Añadiremos abono líquido al agua de riego en primavera y otoño. El pimentero es más exigente en cuanto a humedad ambiental, por lo que es aconsejable pulverizarlo con regularidad.

consejos

■ Una idea de composición con *Peperomias* puede ser colocar un plato de tiesto de buen tamaño sobre una mesa baja de salón y cubrirlo con gravilla. Sobre la gravilla colocamos tres *Peperomias*, cada una de ellas en su tiesto individual de barro. **Mantendremos siempre un dedo de agua dentro de la gravilla,** y esta agua al evaporarse nos aportará la humedad deseada. Recuerda que esta práctica podemos realizarla con todas las plantas exigentes en humedad ambiental.

las flores son abundantes y le
añaden un interés adicional

cada variedad tiene una
tonalidad verde distinta

con exceso de agua las
hojas inferiores se pudrirán,
por lo que hay que regarlas
con moderación

Origen: Brasil
Luz: de poco luminoso a muy
luminoso
Temperatura ideal: 16-21 ºC
Temperatura mínima: 4-7 ºC
Riego: pc. poco; pd. dejar secar
capa superficial entre riegos
Fertilización: pc. cada mes;
pd. cada 3 meses

Pimentero

211

Peperomia

PEPEROMIA OBTUSIFOLIA

■ La peperomia **es una planta de interior fuerte y resistente** que forma una pequeña mata arbustiva erguida que se cubre de suaves hojas redondeadas de aspecto céreo y carnoso. Existen diferentes variedades dependiendo de los matices de color de sus hojas, pero todas ellas tienen un brillo característico.

■ Aunque la mata al principio se mantenga erguida y muy vertical, los tallos pronto empezarán a inclinarse, lo cual no nos debe preocupar porque es el proceso normal. Se diferencia de la *Peperomia caperata* por su porte arbustivo y tamaño de hojas. El brillo inherente a la peperomia y el aspecto céreo de sus hojas le dan un aire casi artificial, pudiendo llegar a confundirla con una planta artificial de plástico.

cuidados

■ La peperomia debe su popularidad a lo fácil que resulta su cultivo. **Le destinaremos un lugar con mucha luz, pero sin sol directo.** Si has leído unas cuantas fichas de este libro ya sabrás que las variedades de plantas con hojas variegadas son más exigentes en cuanto a nivel de luz, ya que su capacidad para realizar la fotosíntesis es menor.

■ Los riegos tienen que ser moderados. **Regaremos la peperomia cuando observemos que la tierra empieza a secarse.**

consejos

■ **La peperomia, como muchas otras plantas de interior, podemos utilizarla para cubrir la base de los tiestos de plantas de mayor envergadura.** La variedad de hojas color verde-crema de la foto la podríamos asociar por ejemplo con un corinocarpo variegado. Si nos fijamos detenidamente veremos que las hojas de estas dos plantas son muy parecidas, sólo difieren en tamaño. El corinocarpo tiende a despoblarse en la base, por lo que el hueco que queda podrá ser cubierto por la peperomia.

mucha luz pero sin sol directo

riega cuando la tierra empiece a secarse

las hojas inferiores se caen en un ambiente demasiado frío

Origen: Sudamérica
Luz: de poco luminoso a muy luminoso
Temperatura ideal: 16-21 °C
Temperatura mínima: 4-7 °C
Riego: pc. poco; pd. dejar secar capa superficial entre riegos
Fertilización: pc. cada mes; pd. cada 3 meses

Peperomia

Violeta africana

SAINTPAULIA SP.

■ La violeta africana es una pequeña planta de interior que gracias a su intensa floración **goza de mucha popularidad, convirtiéndose en la reina de las plantas de interior pequeñas y saladas.** Existen muchas variedades distintas, cada una de ellas con flores de color y matices distintos, pero sin duda la tradicional, y personalmente más atractiva, es la de color morado intenso.

■ La violeta africana posee una roseta de hojas redondeadas cubiertas por vello, y de cuyo centro aparecen los racimos repletos de flor. **La floración surge indistintamente durante todo el año.**

■ Sin duda, la violeta africana es una de esas plantas de interior que no puede faltar en la casa de un aficionado a las plantas, ocupando una posición protagonista sobre la mesita del salón, por ejemplo.

cuidados

■ La violeta africana **prefiere entornos muy luminosos,** lo que le ayuda a que la floración sea continuada a lo largo del año. Si ves que deja de florecer, acércala a un entorno con más luz y seguramente en poco tiempo aparecerán nuevos tallos florales.

■ **Los riegos se realizarán siempre desde abajo,** dejandola en un plato con agua durante unas pocas horas, y luego retirando el exceso de agua. Cuando veamos que la tierra empieza a secarse volveremos a repetir esta acción. El mayor enemigo de la violeta africana es el exceso de agua que activa un moho gris que pudre las hojas.

consejos

■ **No trasplantes la violeta africana ya que no es exigente en cuanto a volumen de tierra.** Sin embargo, hay que abonarla periódicamente con un abono líquido para plantas delicadas que mezclaremos con el agua de riego. El abono provocará que las nuevas hojas sean del tamaño óptimo e inducirá a una continuada y prolongada floración.

podemos multiplicar las
violetas africanas realizando
esquejes de hoja

riega la tierra moderadamente
sumergiendo la planta en agua
tibia una vez se haya secado
la tierra

tras la floración se podan
los tallos florales marchitos

Origen: Sudáfrica, híbrido
Luz: de luminoso a muy luminoso, nunca sol directo
Temperatura ideal: 17-21 °C
Temperatura mínima: 5-8 °C
Riego: pc. moderado; pd. dejar secar capa superficial entre riegos
Fertilización: pc. cada 3 semanas; pd. cada 2 meses

Violeta
africana

Plantas carnívoras

SARRACENIA Y DARLINGTONIA

■ Las plantas carnívoras son pequeñas plantitas que con la evolución se han adaptado a crecer en entornos muy húmedos, pantanosos, sin apenas nutrientes, por lo que deben suplir la carencia de nutrientes aportados por la tierra extrayendo éstos directamente de los insectos que atrapa mediante sus mecanismos de caza.

■ Estos mecanismos para atrapar insectos son muy variados y diversos, como hojas viscosas, pelillos-trampa…, pero tanto la **Sarracenia** como la **Darlingtonia** **tienen unas hojas soldadas en forma de jarro, con la parte superior ligeramente curvada en forma de tapa,** atrayendo a los insectos al interior de la jarra y tapándolos para evitar que escapen. Los insectos quedan atrapados en el líquido que hay dentro de la jarra y entonces son absorbidos por los juegos digestivos de la planta.

■ Puntualmente pueden florecer con flores de color verdoso que se camuflan entre sus hojas cilíndricas.

cuidados

■ **Exigen mucha luz, debiendo evitarse la incidencia del sol directo.** Es importante que tengan una temperatura fresca, entre 10 y 15 ºC, por lo que la temperatura alta de una casa con calefacción puede convertirse en una limitación para cultivar las plantas carnívoras.

■ **Necesitan mucha agua,** incluso agradecen condiciones de encharcamiento propias de los entornos de donde provienen.

consejos

■ **Para conseguir que las carnívoras se mantengan año tras año, aconsejo plantarlas con turba en jarrones de cristal,** donde mantendremos la tierra continuamente húmeda, como si de una zona pantanosa se tratase. Colócalas en el lugar más fresco de la casa, con mucha luz, e incluso alternar su cultivo en exterior e interior para garantizarles el frescor que demandan.

esta parte de la hoja se cierra
cuando un insecto queda
atrapado en el interior

exigen temperaturas frescas
por debajo de los 18 °C

se cultivan en jarrones de
cristal para mantener las
condiciones de tierra
empantanada

Origen: Centroamérica y América
del Norte
Luz: de luminoso a muy
luminoso, nunca sol directo
Temperatura ideal: 13-17 °C
Temperatura mínima: 1-3 °C
Riego: pc. húmedo; pd. dejar
secar capa superficial entre riegos
Fertilización: pc. cada mes;
pd. cada 3 meses

Plantas
carnívoras

217

Senecio azul

SENECIO CEPHALOPHORUS

■ El senecio azul es una pequeña planta de interior **de reciente incorporación al mercado,** compuesta por una compacta mata de hojas carnosas de color verde-azulado.

■ Su hábitat original está en las zonas desérticas africanas, por lo que, al igual que los cactus, el senecio azul **tiene la capacidad para acumular agua en sus hojas carnosas,** lo que le confiere resistencia ante la sequía.

■ El color verde-azulado de sus hojas también es una adaptación a las condiciones áridas y muy expuestas al sol, ya que esta tonalidad clara de las hojas hace que se refleje la luz, siendo una adaptación para soportar las altas insolaciones propias de su hábitat originario.

cuidados

■ El senecio azul **es exigente en cuanto a luz,** y al contrario que la mayoría de las plantas de interior tolera la incidencia directa del sol a través de una ventana. En condiciones de poca luz, la planta tenderá a crear tallos alargados en busca de la luz, perdiendo la compacidad propia de esta planta. También tenderá a perder las hojas inferiores.

■ **El riego ha de ser moderado,** regando puntualmente cuando observemos que la tierra ha comenzado a secarse. En invierno la regaremos menos.

■ **No necesita ser rociada con agua,** ya que prefiere los ambientes secos.

consejos

■ Si tenemos una ventana sin cortinas orientada al sur, y queremos decorar la base de una ventana con plantas, el senecio azul es una buena opción. La plantaremos en un recipiente de barro pequeño, y junto al senecio podremos colocar otras pequeñas plantas suculentas y crasas, como cactus. Todas las plantas crasas se asocian estéticamente entre sí, y todas ellas agradecerán el sol directo que entra por las ventanas orientadas al sur.

las hojas son carnosas y
acumulan agua en su interior

demandan exposiciones
muy soleadas

los riegos tienen que ser
moderados, dejando que se
seque la tierra

Origen: África
Luz: muy luminoso, algo de sol directo
Temperatura ideal: 16-21 ºC
Temperatura mínima: 4-7 ºC
Riego: pc. de moderado a poco; pd. dejar secar capa superficial entre riegos
Fertilización: pc. cada mes; pd. cada 3 meses

Senecio azul

Soleiroli

SOLEIROLIA SOLEIROLII

■ La soleirolia es una pequeña planta de porte rastrero con hojas pequeñas y tallos finos que tiende a ramificar en abundancia creando matas con formas almohadilladas muy atractivas que recuerdan colchones de musgo. **La delicadeza de la mata, su color verde fresco y su porte le confieren ese aspecto parejo a muchos musgos,** aportando una sensación de frescura única.

■ Existen principalmente tres variedades, una con follaje verde claro, otra con hojas grisáceo-blanquecinas y otras con hojas verde-amarillentas. Cultivada individualmente en un pequeño tiesto crea una mata semiesférica elegante, pudiendo agruparlas de tres en tres, con una soleirolia de cada color en cada uno de los tiestos.

■ También **puede ser utilizada para tapizar la tierra de plantas que requieren mucha humedad,** como los helechos, por ejemplo, aportando el aspecto musgoso descrito con anterioridad.

cuidados

■ La soleirolia **crece mejor en un entorno luminoso pero sin sol directo** ya que el sol quema con facilidad las frágiles y pequeñas hojas.

■ Es una planta propia de lugares muy húmedos, por lo que **agradece tener el sustrato siempre húmedo.** Si observamos que las puntas de la soleirolia pierden rigidez y comienzan a arquearse bajando el volumen de la mata esférica es el momento de regar copiosamente para que la soleirolia recupere su porte y aspecto fresco característico.

consejos

■ **Si tienes un jardín, prueba a plantar la soleirolia en el lugar más sombrío y húmedo del jardín, al resguardo de las heladas.** Ya verás como poco a poco empieza a colonizar su entorno creando un efecto verde esponjoso equiparable al que crean los musgos. La sensación de frescura y esponjosidad que crea la soleirolia es única.

no tolera el sol directo

exige una tierra siempre
húmeda

los tallos flexibles terminan
por cubrir el tiesto

Origen: Córcega y Cerdeña
Luz: de luminoso a muy
luminoso, nunca sol directo
Temperatura ideal: 16-18 ºC
Temperatura mínima: 1-3 ºC
Riego: abundante, evitar
encharcamientos
Fertilización: pc. cada 3
semanas; pd. cada 2 meses

Soleiroli

Los recipientes

Las plantas de interior al comprarlas suelen tener tiestos de plástico de poco interés decorativo. El tiesto en sí es un elemento importante a la hora de conseguir integrar una planta en una decoración determinada.

La gama de recipientes aptos para el cultivo de plantas de interior es muy extensa. Los hay de resina o materiales plásticos que aportan ligereza y facilidad de movimiento del conjunto planta-tiesto. La gama de tiestos de barro cocido o cerámico es extensísima. Éstos, al contrario que los plásticos, tienen mucho peso y de optar por uno de ellos, colócalo en un lugar definitivo para evitar pesados cambios.

Las hidrojardineras tienen incorporado un sistema de riego compuesto por un depósito integrado del que la planta va absorbiendo el agua que necesita. Estas hidrojardineras reducen mucho el mantenimiento, ya que con llenar el depósito cada vez que detectemos que se está vaciando bastará.

Para poder cultivar plantas trepadoras suspendidas en el aire existen cestos colgantes, con y sin autorriego, para colgarlas desde el techo de la sala o habitación.

Muchas de las plantas resplandecientes y fugaces no demandan ser trasplantadas, pero las colocaremos embellecedores para sus macetas plásticas originales acordes con nuestra decoración.

Para triunfar con las orquídeas recurriremos a jarrones de cristal y para las plantas pequeñas y saladas seleccionaremos también tiestos pequeños y salados.

Las opciones que nos ofrecen los distintos recipientes son muy amplias y dependerá de nuestros gustos y de las demandas concretas de las plantas optar por un recipiente u otro.

El trasplante

En líneas generales se puede decir que el volumen de raíces de una planta duplica el volumen de la parte aérea. Las plantas antes de empezar a crear nuevas hojas primero activan sus raíces, por lo que pasado un tiempo, si observamos que nuestra planta de interior ha crecido mucho, podemos deducir que las raíces han saturado el espacio destinado a ellas en el tiesto y que demandan ser trasplantadas. Una forma sencilla de verificar la necesidad de trasplante es sacar la planta de su tiesto. Si vemos que el cepellón está lleno de raíces es obvio que pide ser trasplantada.

A la hora de trasplantar una planta lo haremos utilizando un tiesto algo mayor que el original, para asegurar de esta forma que el cepellón se mantiene siempre compacto.

El sustrato que utilicemos tiene que ser de calidad, compuesto principalmente por turba. La turba es una tierra vegetal muy ligera que asegura la suficiente aireación de la tierra para que las raíces puedan respirar y crecer sin problemas.

Existen muchos tipos de sustratos específicos para el cultivo de distintos grupos de plantas. El sustrato universal es muy versátil y prácticamente apto para la mayoría de plantas. Para las plantas de tierra ácida como las azaleas, hortensias, gardenias… utilizaremos un sustrato específico para plantas de tierra ácida. Las orquídeas demandan un sustrato específico con alta presencia de trozos de corteza de pino y los cactus también exigen un sustrato específico con mayor proporción de arena.

Tras el trasplante realizaremos un riego copioso con el fin de eliminar las posibles cámaras de aire que hayan podido quedar entre el cepellón original y la nueva tierra.

La luz

La luz es fundamental para que las plantas puedan realizar la fotosíntesis y transformar de esta forma el agua y los nutrientes absorbidos por las raíces en azúcares que utilizará para crecer. La luz que precisan las plantas puede ser natural o artificial.

Cada planta tiene unas exigencias de luz y en general, para el cultivo de plantas de interior, se seleccionan aquellas plantas que de forma natural crecen en entornos sombríos. En las fichas de plantas que presentamos encontrarás las demandas y necesidades concretas de luz de cada planta.

En general, sólo las plantas crasas toleran la incidencia de sol directo a través del cristal. Una cortina ligera tamiza la incidencia de sol directo y evitará las quemaduras de las hojas. Si la planta no tiene la luz necesaria comenzará a crear hojas más alargadas que las normales en busca de la luz, y tendrán un color verde más claro que delatará la falta de luz.

Para complementar la falta de luz podemos colocar luz artificial. La luz artificial ideal es la creada por los fluorescentes de crecimiento que potencian los ultravioletas y no aportan calor. En lugares sin luz natural, sólo con la luz artificial se pueden cultivar plantas de interior, pero en estos casos nos tendremos que asegurar de que la cantidad de luz diaria ronde de 12 a 16 horas.

La humedad ambiental

Muchas de las plantas de interior son originarias de las selvas tropicales donde la humedad ambiental es altísima. En la mayoría de las casas, debido sobre todo a la presencia de las calefacciones centrales, el aire suele ser demasiado seco. En estas condiciones muchas plantas reaccionan secando las puntas de las hojas.

Para aumentar la humedad ambiental podemos realizar distintas acciones. Una forma sencilla es colocar un paño humedecido o recipiente con agua sobre un radiador situado cerca de las plantas. El paño tendremos que volver a humedecerlo una vez al día. Según se vaya secando la humedad que estaba en el paño, ésta pasa al aire, lo que aumenta la humedad ambiental.

Otra forma habitual de incrementar la humedad del aire es pulverizando las hojas con agua tibia. Para asegurarnos de que el agua del pulverizador está a la temperatura adecuada dejaremos siempre el pulverizador lleno, para que el agua esté a la temperatura ambiental en el momento de la pulverización.

También podemos colocar una bandeja con 3 o 4 centímetros de gravilla o roca volcánica. Sobre la gravilla colocamos el tiesto con la planta, y llenamos la bandeja con agua, sin que ésta llegue a cubrir la gravilla. El agua, al ir evaporándose, creará las condiciones de humedad óptima para las plantas que agrupemos sobre la bandeja.

La reproducción

Las personas aficionadas a la jardinería disfrutamos multiplicando las plantas de nuestros hogares. Es una práctica muy gratificante, sencilla y educativa.

Para reproducir las plantas de interior, una de las técnicas a la que podemos recurrir es la siembra de semillas. En la mayoría de los casos es una acción demasiado lenta, y además no es sencillo conseguir semillas de la mayoría de las plantas de interior. La práctica más sencilla es recurrir a los esquejes. Para esquejar una planta tendremos que realizar esquejes con partes de la planta madura, ya sean tallos u hojas. Cortamos los tallos por encima de una yema, los untamos con un poco de hormona de enraizamiento y los colocamos en un tiesto con sustrato para semilleros. En el mismo tiesto podemos colocar más de un esqueje.

En el caso de los esquejes de hoja, seleccionamos una hoja, le cortamos el pecíolo por la mitad y la colocamos en un recipiente de agua con hormona. Transcurrido un tiempo, de la base del tallo saldrán raicillas que activarán el crecimiento aéreo. Dejaremos un tiempo hasta que las raíces crezcan y se fortalezcan, y después procederemos a trasplantar los esquejes a un recipiente ligeramente mayor. Podemos trasplantar cada esqueje individualmente o agrupados de tres en tres para conseguir mayor densidad.

El abonado

Las plantas para crecer necesitan comer y los nutrientes los extraen de la tierra gracias a sus raíces. Los nutrientes existentes en la tierra de un tiesto se agotan con rapidez, por lo que si queremos seguir alimentando a la planta para que ésta crezca contenta tendremos que abonar la tierra periódicamente.

Existen muchos tipos de abonos, algunos en granitos, otros en pastillas para ser introducidas en la tierra, pero el que resulta más aconsejable para las plantas de interior es el abono líquido. El abono líquido lo mezclaremos con el agua del riego, y siguiendo las dosis y periodicidad marcadas en el producto regaremos y alimentaremos a nuestras plantas.

Los abonos existentes en el mercado poseen formulaciones específicas para activar el crecimiento, la floración, etc. El abono universal es una formulación muy versátil que nos sirve para el conjunto de la mayoría de las plantas. Sin embargo, si queremos activar el crecimiento de hojas de gran tamaño optaremos por un abono para plantas de hoja verde. Los abonos para floración poseen en su formulación unas dosis concretas de fósforo y potasio que estimulan la emergencia de muchas flores. Para plantas tipo orquídeas y helechos optaremos por abonos para plantas delicadas, y los cactus y bonsáis también tienen sus abonos líquidos específicos con las formulaciones de nitrógeno, fósforo y potasio óptimas para su crecimiento.

Las podas

Una planta feliz y contenta que reciba los cuidados precisos, crecerá y crecerá. Algunas son muy lentas de crecimiento pero otras crecen con bastante rapidez. Si vemos que la planta ha comenzado a perder la escala deseada y su crecimiento empieza a perder la proporción del conjunto, es el momento de podarla.

Mucha gente tiene miedo a meter la tijera a una planta pero en realidad la poda o pinzamiento es una acción sencilla.

Seleccionamos las ramas que han crecido excesivamente y realizaremos un corte limpio por encima de la intersección de una hoja con el tallo. Al realizar el corte, la planta reacciona y activa las yemas latentes que se encuentran entre las hojas y el tallo, y de estas nuevas yemas empiezan a crecer nuevos tallos que devolverán a la planta la escala y densidad de follaje deseada.

Las plantas como los *Ficus benjamina* de crecimiento rápido demandan ser podadas con frecuencia, aunque la frecuencia de poda siempre dependerá de la rapidez con la que está creciendo la planta.

Las plantas que en vez de crear un tallo crecen creando una roseta de hojas no requieren ser podadas ya que de forma natural se mantienen compactas. En este caso simplemente nos limitaremos a eliminar las hojas muertas, secas o dañadas. Esta acción también la realizaremos en las plantas de flor, eliminando los tallos de flor una vez que éstos se hayan marchitado.

Las plagas y enfermedades

Puntualmente, las distintas plagas y enfermedades existentes pueden atacar a nuestras plantas, produciéndoles en la mayoría de los casos una merma en el vigor de la vegetación y en casos puntuales la muerte.

La mejor forma de evitar las distintas plagas y enfermedades es comprando plantas sanas. Tendremos que prestar mucha atención a la planta a la hora de comprarla para asegurarnos de que esté completamente sana.

Las plagas más habituales son: el pulgón, que se sitúa en las hojas jóvenes; la cochinilla, una pequeña lapa que se adhiere a los tallos y hojas; y la mosca blanca, que revoloteará cuando meneemos la planta.

El pulgón, la cochinilla y la mosca blanca son insectos chupadores que se adhieren a las hojas y extraen gran cantidad de savia de la planta. El exceso de savia consumido lo expulsan cayendo sobre las hojas de la planta, las cuales quedan brillantes y pringosas. Sobre esta superficie viscosa evoluciona un hongo llamado negrilla que tiende a cubrir con un manto fino negro la superficie de las hojas.

Las arañas rojas son pequeñísimas arañas del tamaño de la cabeza de un alfiler y se alimentan del contenido celular de las plantas, y poco a poco las plantas van salpicándose de pequeños puntos de color amarillo anaranjado hasta llegar a amarillear la hoja por completo.

Los hongos que atacan a las plantas normalmente se desarrollan debido al exceso de riego y encharcamiento del cepellón. Para tratar todas estas plagas y enfermedades recurriremos a un producto de triple acción: insecticida, contra el pulgón, mosca blanca y cochinilla; acaricida, contra la araña roja; y fungicida, contra el conjunto de hongos.